海星聖母

戈馬克・麥卡錫

葉佳怡 譯

STELLA MARIS

編輯室前言

二〇二二年秋天，《乘客》、《海星聖母》一前一後相繼問世。按情節時序，《海星聖母》的一九七二年時空為先，《乘客》的一九八〇年則較晚。

如同譯者葉佳怡於《乘客》譯序所形容，「物理學、數學及音樂更接近無意識，而《乘客》就是嘗試將語言與無意識『混為一談』。《海星聖母》則是記錄這次嘗試的一份註解、一部對話錄」。二書確實互為表裡、一體兩面，威斯特恩兄妹身為曼哈頓計畫成員後代，自稱「地球上最後的異教徒」，兩個角色的組合呼應著麥卡錫長年探索的主題：「最初／最後的人類」，從何處來？未來又該往何處去？《海星聖母》七場對談的形式又彷彿讓麥卡錫本人更清晰地現身於字裡行間。於是讀畢《乘客》以後，《海星聖母》也許可扮演導演解說版的功用，望指引讀者豁然開朗，或燃起繼續往迷宮深處走更遠的勇氣。《衛報》評論麥卡錫畢生的創作都在凝視著虛無，而本書是「虛無的回眸凝望」。

住民區　一九七二年十月二十七日

病歷號 72-118

病患是二十歲的猶太／白人女性。外型亮麗，很可能有厭食症。六天前似乎是在未攜帶行李的狀況下乘巴士抵達。華格納醫生簽署了入院文件。病患的皮包內有一個裝滿百元紙鈔的塑膠袋——大概超過四萬美金——並曾嘗試把這些錢送給櫃台人員。病患是芝加哥大學數學所的博士候選人，被診斷出偏執型思覺失調症，伴隨長期存在的視覺及聽覺幻覺病史。此住民之前曾入住本機構兩次[1]。

海星聖母療養院
黑河瀑布市，威斯康辛州
一九〇二年成立
一九五〇年起用來照顧精神醫療患者的跨教派機構兼收容所。

1 此書是作者《乘客》的續作，雖然語言上沒有《乘客》那麼詰屈聱牙，但還是使用了一些類似的文字風格，包括一、許多沒有逗點的長句、複雜句，而且常常只以句點斷句；二、少見的冷僻用字或古字；三、作者自己創造出來的字；四、實際存在的詞彙連結成一整個英文單字；五、標點的省略；六、各式常見或少見的諺語使用；七、追求押韻文字遊戲；八、大量的專有名詞、品牌名稱、縮寫或外文。翻譯上選擇盡可能選擇保留作者的句構與節奏，在英文語境內不常用的外文及縮寫也盡可能原樣呈現，特殊設計則會在有需要時進行標記或加注說明。

一

嗨。我是柯恩醫生。

你不是我在等的柯恩醫生。

抱歉。你說的是羅伯特·柯恩醫生吧。

對。我猜這裡不缺柯恩醫生。

可能是喔。你好嗎？一切都好嗎？

一切都好嗎？

對。

我在瘋人院裡欸。

嗯。除此之外吧，我想。

你這份工作做多久了？

大概十四年。

你會把這些對話都錄下來。

我想這是你同意過的事。沒問題嗎？

我想是吧。不過當時我以為你是別人。

這可不是沒問題。

不會。沒關係。不過我該提醒你我只有同意聊一聊。並沒有同意進行任何治療。

好。你有問題要問我嗎？在我們開始之前。

我們已經開始了。像是什麼問題？

或許你該跟我稍微談談你自己。

喔天哪。

不想嗎？

現在是要按照數字順序作畫嗎？

什麼？

沒關係。只是我一直天真地想像有可能透過不受虛偽辭令徹底扭曲到不行的方式來進行這些嘗試。

什麼意思？是我的語調有問題嗎？

沒關係。還是進行吧。管他去死。

嗯。我不希望我們有個糟糕的開始。我只是覺得你可能想稍微跟我聊聊你在這裡的原因。

我沒有其他地方可去。

那為什麼來這裡。

我之前來過這裡。

不如說說一開始來的原因。

因為我進不了柯雷塔。

為什麼想進柯雷塔？

那是羅絲瑪麗・甘迺迪[2]被送去的地方。她父親把她的大腦挖壞後就把她送去那裡了。

你和那個家族有任何關係嗎？

沒有。我對精神療養中心沒有任何概念。我只是覺得既然他們最後挑了那間大概代表是個挺好的地方。但事實上，我想他們是在其他地方挖她的腦。

你說的是腦白質切斷術[3]。

對。

他們為什麼對她那麼做？

因為她很怪而她父親又擔心有人會幹她。她就不符合那老頭心目中的理想。

真的是這樣？

沒錯。可惜就是這樣。

你為什麼覺得非得去個地方不可？

你是說這次嗎？

對。這次。

我就是這樣覺得。我剛離開義大利。我哥哥在那裡陷入昏迷。他們一直想要我同意放棄救活他。要我簽名。所以我逃走了。我不知道還能怎麼做。

你無法說服自己這麼做？拔掉他的維生器插頭？

對。

他腦死了嗎？

我不想討論我哥哥。

好吧。跟我說他為何陷入昏迷就好。

出了車禍。他是賽車手。我真的不想談。

好吧。你有什麼想要問的嗎？

---

2 羅絲瑪麗・甘迺迪（Rosemary Kennedy）是美國第三十五任總統約翰・甘迺迪的妹妹。大腦因為出生時缺氧而出現智力遲緩的現象。

3 腦白質切除術（lobotomy）是在一九三〇到五〇年代間被當作一種精神疾病的治療手段。

跟什麼有關？

什麼都行。如果想要的話也可以問我的事。我可以叫你艾莉西亞嗎？

你想要我問你有關你的事。

如果你想要的話。沒錯。

你在大學教書。

在麥迪遜分校。沒錯。

我知道學校在哪裡。以學者來講你算是很會穿衣服。

謝謝你。

那**不**是稱讚。你不是精神分析師。

我是精神分析師。

你沒有取得醫學士學位。

我有。其實。

還有呢。

我已婚。有兩個小孩。妻子正在為市政府執行一項兒童相關計畫。今年四十三歲。

沒人在看的時候你會做什麼？

沒做什麼。你呢。

來根其實很少在抽的菸。我沒在喝酒或嗑藥。也沒服藥。我想你應該不會有菸吧？

沒有。我可以帶一些來。

好。

還有呢？

我會偷偷摸摸跟理應不存在的人物對話。我被叫做「你們很清楚是怎麼回事」的難搞傢伙但我不認為是如此。大家似乎覺得我很有趣但我基本上已經放棄跟他們對話。我只跟和我一樣的瘋子講話。

你不跟其他數學家對話嗎？

已經沒有了。嗯。有些還會啦。

為什麼呢？

說來話長。

你還有在進行數學研究嗎？

沒有。至少不是你口中的那種數學。

那你在研究的是哪種數學？

拓樸數學。拓樸斯理論。

可是你已經沒在做了。

對。有事讓我分心。

什麼讓你分心？

拓樸數學。拓樸斯理論。

或許我們該暫時跳過有關數學的話題。

也行。反正我也搞不懂我在做什麼。

我很驚訝聽到你這麼說。其他數學家無法給你幫助嗎？

不行。他們也搞不懂。

你確定錄音沒問題嗎？

確定。要是我說出幹去死或之類的話呢？啊我想我已經說了。剛剛其實又說了一次。

我不知道欸。我想同意書有指出你沒有任何修改權利。

剛剛那些話其實沒有很認真。

喔。

艾莉西亞這名字還行。比亨莉埃塔這名字好。

你又不認真了。

確實。

好吧。你完全不想跟我談談你哥哥？

這對話開始像是Eliza[4]程式了。不。我不。想談。

你說那個用來進行心理治療的電腦對話程式。

對。

好吧。那你想談什麼？

我不知道。我猜我只是想要點小聰明。如果你想真的好好跟我對話我們至少得想辦法少講點廢話。你不覺得嗎？或者說你有這麼覺得嗎？

我覺得沒錯。我認為你完全正確。

就像這種話。

這算廢話？

當然是廢話。你見鬼的絕不可能認為我完全正確。

原來如此。

拜託也別說原來如此。

那只代表我在嘗試理解你的觀點。你有跟任何人聯絡嗎？

4 為了搭配作者本書及相關小說《乘客》的寫作風格，本文會留下一些非英語、英語縮寫或意思不明確的英文的原文。此處即為一例。

你是指真實的人？

最好是。沒錯。

不太有。

任何數學家？大學裡認識的人？

我以為我們沒打算聊數學了。

好吧。

我還有寫信給格羅滕迪克[5]可是他已經離開IHES[6]而且也沒回信。那倒也無妨。我沒指望他會回。

他是數學家嗎？

對。或者說曾經是吧。

他住哪？

我不知道他住哪。我想應該還在法國。

聽起來不是很像法國人的名字。

完全不是法國人的名字。他父親的名字是夏皮羅。之後改成塔納羅夫。他沒有國籍。他曾是個在戰爭中流離失所的兒童。當初東躲西藏。為了保命不停逃跑。他父親死在奧茲維辛。

你把信都寄到哪裡？

寄到ＩＨＥＳ。你不知道他是誰，對吧？

不知道。

沒關係。我們曾經是朋友。現在也是朋友。我們抱持一樣的懷疑態度。

對什麼抱持懷疑態度？

對數學。

我不確定明白你的意思。

沒關係。

你對數學抱持懷疑態度？

對。

這門學科讓你感受到某種失望嗎？我不太確定要怎麼能對整個學科抱持懷疑態度。

就是說啊。

但你確實感到失望。

可以這樣說。

---

5 亞歷山大·格羅滕迪克（Alexandre Grothendieck, 1928-2014），法國數學家。

6 法國高等科學研究所（Institut des Hautes Études Scientifiques），簡稱ＩＨÉＳ。

怎麼會呢？

嗯。就此案例來說是由一群邪惡又反常且完全帶有惡意的偏微分方程式主導這些方程式密謀從創造者腦中的可疑迴路將自身的現實奪取過來完全像是米爾頓[7]描述的那種反叛如同一個不向神也不向人負責的獨立國家一般揚起自身的旗幟。大概是這樣。

你覺得我的問題很天真。

我很抱歉。不。我**沒**有。這次的失敗責任**不**在提問者。

他是個很傑出的數學家嗎？你這位朋友。

格羅滕迪克啊。人們普遍認定他是二十世紀最卓越的數學家。如果不去看希爾伯特[8]、龐加萊[9]、戴德金[10]和康托爾[11]都有活到二十世紀這件事的話。而你也確實不該管這些人，畢竟他們主要的成就都出現在十九世紀。而我個人實在也沒那麼欣賞馮紐曼[12]。

很抱歉但我**不**認識那些名字。

我知道。沒關係。嗯，不是真的沒關係。但就先這樣。

格羅滕迪克。

對。

你跟他一起工作？

我**不**知道能不能算是工作。我們花了很多時間談話。他會在每週二來科研所。我也常去他家打發時間。我會跟他的家人一起吃飯。我們之間的各種對話會一直持續到晚上。就某種層面而言我們就像待在同一間瘋人院。科研所是個像汞中毒帽匠一樣瘋癲且名叫莫查納[13]——姑且相信這是他的真名——的俄國有錢人為他和另一位名叫迪厄多內[14]的數學家創立的。整個機構組織仿照IAS[15]。就是普林斯頓那間。奧本海默是其中一位顧問。我在那裡待了一年，但當時資金就已快要耗盡。最後我始終沒拿到當初獎助金明訂的數字。我是那裡唯一的女性。一開始他們以為我是在廚房工作。

我想這代表你在那裡的經驗不算太好。

是一段很棒的經驗。我在芝加哥大學時遭遇了一些困難。可是格羅滕迪克會認真聽你說的每

---

7 英國詩人約翰・米爾頓（John Milton, 1608-1674），他在《失樂園》第一章提及撒旦這名反叛天使的墮落。

8 大衛・希爾伯特（David Hilbert, 1862-1943）是德國數學家。

9 朱爾・亨利・龐加萊（Jules Henri Poincaré, 1854-1912），法國數學家。

10 里夏德・戴德金（Richard Dedekind, 1831-1916），德國數學家。

11 格奧爾格・康托爾（Georg Cantor, 1845-1918），德國數學家。

12 約翰・馮紐曼（John von Neumann, 1903-1957），出生於匈牙利的美國籍猶太人數學家。

13 萊昂・莫查納（Léon Motchane, 1900-1990），法國數學家兼實業家。

14 讓・迪厄多內（Jean Dieudonné, 1906-1992），法國數學家。

15 普林斯頓高等研究院（Institute for Advanced Study, IAS），一個理論研究中心，提供世界各地科學家進行研究的機構。

一個字。還一邊點頭一邊在本子上塗寫。不停跟你對話。問一些就連你都**沒**問過自己的問題。

你當時幾歲？

十七歲。

但這**不**是問題。我是指你的年紀。

他想都**沒**想過。

他為什麼**不**寫信給你？

主要是因為他放棄數學了。

跟你一樣。

對。跟我一樣。

這麼做很困難嗎？

嗯。我想只放棄一件事或許比放棄一切更難。

一件事有可能代表一切。

對。有可能。我們只有數學。我們沒辦法放棄數學改玩高爾夫之類的。現在他會受邀去研討會談話於是他會跑去嚷嚷著有關環境或是戰爭販子的問題。他的父親和母親都是政治運動者。他總是用各種方式在紀念他們。他的書桌上有一張父親的鉛筆畫像跟一幅據說是他母親的**死亡面具**[16]。但其實他們在他還小時就為了追求永遠不可能實現的世界政治大夢拋棄了他所以我猜他覺得有必要繼承他們的理想以合理化他們對自己的背叛。他已婚也有孩子。我猜他可能會做出跟父母一樣的事。

你在哭嗎？

抱歉。

可是他全放棄了。

對。

為什麼？

他朋友認為他的精神狀態愈來愈不穩定。

有嗎？

情況很複雜。最後總得談到信念。談到現實的本質。總之，我的其他一些數學家同儕聽到可以把某人放棄數學作為他精神狀態不穩定的證據時覺得特別好笑。

他幾歲？

四十四？

16 作者會將兩個（或多個）原本存在的字（或字首及字尾）結合在一起，像這裡的例子就是將death mask結合為deathmask。意思是以蠟或石膏製成的死者面具，這種做法曾出現在十七、十八及十九世紀。

你去法國是為了接受他那間科學研究所提供的獎助金。

我去法國是為了跟哥哥待在一起。畢竟我不知道他會不會回來。不過沒錯。我想去那間科研所。他們做的正是我想做的事。

你已經從芝加哥大學畢業。

對。

十六歲的時候。

對。我當時在進行博士計畫。現在也還是，我想是吧。我沒有生活可言，真的。我只是一直在工作。

如果你沒成為數學家會怎樣？

會死。

這個回答有多認真？

我很認真看待你的提問。你也該認真看待我的答案。

你還好嗎？

很好。或許我是有點不把你的問題當一回事。我真正想要的是一個孩子。那才是我真正想要的。如果我有個孩子我會在晚上走進孩子的房間坐著。安靜地。我會聆聽孩子呼吸聲。如果我有孩子就不會在乎現實了。

你讓我驚訝。

是吧。嗯。

你想繼續談嗎？

我沒問題。反正總之格羅滕迪克和莫查納鬧翻了。莫查納跟他說因為科研所有拿軍方的錢所以他要辭職。他也這麼做了。我甚至不確定是不是真的。我是指錢的事。

他真的是個偉大的數學家？

真的。

他有做過任何我有可能理解的事嗎？

不知道欸。他拿出的成果比我們期待五個數學家可以拿出的成果還多。幾乎接近尤拉[17]的成就。最終他開始著手重寫整個幾何學。但只進行了大概三分之一。幾千頁吧。可是他打從根本改變了數學這門學問。他當初帶領了布爾巴基團隊[18]可是最後他們完全跟不上他。或是不願意。他們的數學奠基於既定理論——似乎已經有愈來愈多的漏洞——而他早已超越這一切。他正在邁向

---

17 李昂哈德・尤拉（Leonhard Euler, 1707-1783），瑞士數學家，也同時具有物理學家、天文學家等身分。

18 尼古拉・布爾巴基（Nicolas Bourbaki）是二十世紀法國一群數學家所取的筆名。

一個全新的邏輯抽象層次。一種看待世界的全新方法。他正在完成黎曼[19]展開的工作。將歐幾里得[20]永遠拉下目前地位。還暫時無視第五公設[21]。那是歐幾里得無法處理的無限概念的進擊。當你進入拓樸斯理論你就是站在另一個宇宙的邊緣了。也就是找到一個可以從不存在之地回望世界的立足點。那不只是某個格式塔。而是一種根本性的概念。

你是自己申請入院。

你說海星聖母。

對。

如果是別人把你送進來你就會被認證為精神失常但如果是自己申請入院就不會。他們會覺得你一定還有一定程度的理智不然才不會出現在這裡。而且還是自己一個人來。所以就紀錄而言你可以逃過被貼標籤的命運。畢竟如果你知道自己是瘋的那就還沒瘋到自以為神智清醒的程度。

你來過這裡幾次？兩次？

對。

為什麼這次會來？我猜我想問的是這個。

我一直在我的房間裡遇到奇怪的人。

這似乎也不是新消息。

我想見這裡的一些人。

你指的是病患。

對。你覺得我會來這裡找幫手閒聊嗎？

你是指諮商師。

對。

我不知道。

你當然知道。

你沒有服用任何藥物。

沒有。

你覺得這樣做明智嗎？

我不知道怎樣做算明智。我就不是個明智的人。

可是你不覺得你瘋了。

我不知道。不。至少我不符合你那本瘋子書的定義。

19 伯恩哈德・黎曼（Bernhard Riemann, 1826-1866），德國數學家。

20 歐幾里得（Euclid，西元前330年-西元前275年），希臘數學家。

21 歐幾里得的第五公設（The Fifth Postulate）是在講兩條平行線永遠不會有所交集。

你說DSM[22]。

對。當然我不是唯一不在那本書裡的人。

你還會看到幻覺嗎？

我從沒說那些是幻覺。

你把你的那些訪客描述成不存在的人。

人物。

就說是人物吧。

我是引用文獻資料的說法。

什麼樣的文獻資料？

跟我有關的文獻資料。但沒有。我最近都沒看見他們。他們不喜歡來這種地方。這裡讓他們不自在。你在微笑。

你幾乎像是在說這種機構本身就能提升心理健康。怎樣？就像教會可以抵禦邪靈？

我想這個比喻還行。教會總是孜孜不倦地談論罪人。獲救之人卻連被提起的機會都沒有。曾有人指出撒旦感興趣的完全是人的精神層面。卻斯特頓[23]說的吧，我想。

我不確定明白你的意思。

撒旦只對你的靈魂有興趣。此外對你的福祉毫不在乎。

有意思。話說你的這些訪客。無論他們是什麼。你有辦法跟我談談他們嗎？

我一直不知道該如何回答那個問題。你想知道什麼？

他們出現時有名字嗎？

沒有人出現時是有名字的。你是為了在黑暗中找到他們而給他們名字。我知道你讀過我的檔案可是好醫生總是不怎麼關注針對幻覺角色的描述。

他們在你眼中有多真實？他們怎麼說？散發出夢境的質地？

我不認為。夢境的角色缺乏一致性。你只能看見一些片段之後還得自己填補剩下的細節。有點像視覺上的盲點。缺乏連續性。那種角色會逐漸變形成不一樣的存在。更別提他們的所處之地是夢境。

他們當中的主要角色是個光頭侏儒。

一個矮小的人。沒錯。

小子。

22《精神疾病診斷與統計手冊》（*Diagnostic and Statistical Manual of Mental Disorders, DSM*）由美國精神醫學學會（American Psychiatric Association）出版，第一版出版於一九五二年，目前最新版為第五版。

23 吉爾伯特・基思・卻斯特頓（Gilbert Keith Chesterton, 1874-1936），英國作家兼文學評論家，也是神學家。

小子。沒錯。

但他不像是你夢中的角色。

不。他像是你房間中的一個角色。

我想知道你對這些角色呈現出這種特定外貌的原因有什麼看法。

你願意換個問題嗎？他們呈現的就是由他們外表所組成的外表。我猜你真的想知道的是他們可能象徵了什麼。但我一點概念也沒有。我不是榮格[24]心理學派的人。你的問題也暗示你認為這個無聊愚蠢的混雜群體是可以被搬演出來的。總之是透過某種方式。其中每個角色都反射出現實的微光。我可以看見他們鼻孔裡長的毛我可以看進他們的耳洞我可以看見他們鞋帶綁出的結。你相信你或許可以從中架構一場足以搬演我混亂心理歷程的歌劇。那我祝你好運囉。

但你有意識到其他人並**不**相信這些傢伙的存在吧。

定義「存在」。

什麼？

我不是很在意其他人相信什麼。我**不**認為他們有資格發表意見。

因為他們**沒**見過他們。

我認為這段說法足以被稱為邏輯上的死路。你怎麼想？

我確定你知道根據你的描述你這種規模的幻覺可說極其罕見。而且不只一位諮商師暗示是你捏造出那些幻覺。

捏造出這些幻覺。

對。

這語法聽起來相當怪，不是嗎？

也就是你捏造出你在捏造幻覺的這件事。

對啊，哎呀。反正他們也無權對此發表意見。

你說那些諮商師？

對啊那些諮商師。

或許是這樣吧。這件事是何時開始的？幾歲的時候？

你覺得我現在處於精神病的繁盛階段嗎？

不。我不覺得。可是當然你也不想要接受測驗吧。

我不想要。你想要我這麼做嗎？

不想。除非我把握可以做好。可是普遍來說你對這些測驗有什麼看法？誤導人？具侵略性？

就是不喜歡吧。

---

24 卡爾・古斯塔夫・榮格（Carl Gustav Jung, 1875-1961），瑞士心理學家兼精神科醫師。

可是你也接受過一些測驗。你在進階瑞文測驗[25]拿到完美的滿分。

之前也有人拿過滿分。

不像你用的時間這麼短。

剛開始的幾個問題挺蠢的。你只需要把不見的圖形補上。一切都是以非常原始的方式組合在一起。後來問題愈來愈難但其實沒有真的很不一樣。此外，無論那些圖形變得多複雜總之判斷準則不會超過六個。

你在測驗的最後簡單畫出兩個三維矩陣。

是三維格。沒錯。其中一個是幾何的另一個是計算的。這兩個沒那麼難。但我覺得看起來很有發展潛力。我認為很快就能變得很錯綜複雜。如果你沒有正確掌握維度就無法搞懂這些演進的過程。我一直沒再聽到他們的進一步消息。可是我覺得如果人們可以百分之百通過這些測驗那你們或許該想出更難的測驗才對。我以為你想討論那些小夥。

討論什麼？

那些小夥。那些實體。就是小夥伴的那種小夥。

有這個詞嗎？小夥？

現在有啦。我猜最接近小夥而且真實存在的字是「orts」[26]。在英文中是碎片的意思，在德文中指的是一個地方。總之，你問幾歲啊。讓我來回答。是第一次月經來的時候我想檔案裡有寫。

我只是想知道這個紀錄是否正確。那其實很早。

你甚至可以說這算早熟。

我希望你不介意我問但究竟是幾歲？

十二歲。

女性的思覺失調症患者通常不會在青春期晚期或二十歲出頭前發病。

我從未被正式診斷出思覺失調症。

是沒有。

說不定他們會為了確認一個人的總體怪異狀態設計出一種測驗。你怎想？

你在這裡接受過ＭＭＰＩ[27]測驗。兩年前。

是啊。

既然提到總體怪異狀態。你被分類為社會病態偏差者而且後面還接著一串挺不討喜的形容

---

25 這裡指的應該是瑞文氏進階圖形推理測驗（Raven's Advanced Progressive Matrices），是由英國心理學家於一九三八年編製的非語文智力測驗。

26 「小夥」原文「hort」應該是「cohort」的簡稱，於是在中文由「小夥伴」簡稱為「小夥」。

27 明尼蘇達多項人格問卷（MMPI: Minnesota Multiphasic Personality Inventory）是一九四〇年代由明尼蘇達大學的教授設計的測驗，是用來評量精神病患在社會、個人及行為等層面的問題。

詞。這是第四量尺的結果。你知道明尼蘇達測驗嗎？

不知道。我**可**沒閒到有空研究你們的那些測驗。我覺得那些測驗令人透不過氣的愚蠢又毫無意義。所以我只是愈做愈不爽。最後只是在想盡辦法讓自己做出的結果變成或許有殺人傾向的瘋子。

你**不**介意被限制行動嗎？

我已經被限制行動了。

你**沒**有在明尼蘇達測驗中發現任何有趣的地方。

沒有。

你在史丹佛—比奈[28]量表中拿了九十六分。

我本來打算拿一百分。

為什麼？

既然做了就該拿一百分吧。

你的實際智商是多少？

沒有這種東西。

這是某種形式的傲慢嗎？當一個測不出來的人？

如果真的測不出來就不算。總之，史丹佛—比奈量表有種族歧視問題。而且還有很多其他問題。

怎麼可能有種族歧視問題？

測驗裡沒有跟音樂有關的問題。這是其中一個例子。顯然音樂在這裡不算數。比如有個智商測試成績八十五的黑人以任何你可能願意選擇的標準來測量都是個音樂天才。而且是超越所有尺度的天才。可是對這些搞智商的傢伙來說他就跟半個智障差不多。

我猜你認為這些製作測驗的人本身也沒那麼聰明。

我從沒見過這個產業中有誰對數學有任何程度的理解。然而智力就是數字。不是文字。文字是我們捏造出來的。數學不是。這些智商測驗中的數學和邏輯問題完全是笑話。

怎麼變成這個結果的？智力最後等同數字。

或者一直都如此。又或者我們是靠計算一步步獲得這個結果。而且是在史上第一個字被說出來之前數了一百萬年的時間。如果想擁有超過一百五十的智商你最好擅長處理數字。

我在想一個人要是對測驗不熟悉很難組織出你在這些測驗中做出的一些回覆。

我確實做過一定程度的練習。我在大學時就必須在不讀人文學科指定的那些白癡閱讀文本的情況下全部成績拿A。

你是基於某種原則而不願讀那些文本嗎？

28　史丹佛—比奈智力量表（Stanford–Binet Intelligence Scales）是一九一六年由史丹佛大學教授首次發表的智力量表。

不是。我只是沒時間。

為什麼沒時間？

因為我每天花十八小時在做數學。

有人會說那是不可能的。

對啊。有人會這樣說。

第八量尺呢？

我不知道那是什麼。

欸，除了其他用途之外第八量尺主要是用來測驗有沒有思覺失調症。

是嗎？我表現得如何？

勉強通過。所以如果你是在操弄測驗結果難道不是代表你可能有思覺失調而且還不知怎地想出方法騙過去了呢？當然這個測驗也是設計來找出可能的頭部外傷和癲癇的問題。

我小時候摔傷過頭。

真的嗎？

假的。

話說你做的這些數學研究。不可能全是指定功課吧。

全都不是指定功課。

其中最讓你感興趣的是什麼？

我在賽局理論中投入不少時間。其中有些非常誘人的元素。馮伊紐曼深陷其中。或許這樣形容不正確。可是我想我終於開始意識到這個理論**沒**有能力提供它原本承諾提供的解釋。而這確實就是賽局理論。沒有其他可能性。不管後來有沒有康威[29]投入都一樣。你所展開的一切剛開始都是工具，但總是希望之後可以藉此組成一個理論。

可是賽局理論就是個理論**不**是嗎？

你說的算囉。

你住在你奶奶家的閣樓裡。

對。在我母親死後。鮑比幫我打理好那個地方。

那些幻影一開始就是在那裡出現的？

對。

你在做這些數學研究時他們在做什麼？

我**不**知道。過了一陣子後我基本上就是忽視他們的存在。只有小子除外。他實在難以忽視。

你**沒**有真心覺得他們煩人讓我很不懂。

29 約翰・何頓・康威（John Horton Conway, 1937-2020）是英國數學家。

欸。我當時才十二歲。哪知道怎樣算不正常？

但你確實知道。

我知道那樣不正常。但不知道對我來說也不正常。

為什麼他叫小子？

那是沙利竇邁小子的簡稱。他完全沒有手。只有鰭。

就是那個侏儒。

那個矮小的人。

還有誰？

就是很多不同角色。一堆娛樂演藝人員。理論上來說是。

你覺得他們有娛樂到你嗎？

沒有。

他們就這樣直接出現。不知打哪來的。

相對於什麼狀況？確定知道從哪裡來的嗎？好吧。確實不知打哪來的。我們就維持這說法。

聽著。這種對話我幾乎都已經背起來了。

你是說跟其他諮商師的對話。

對。

你希望我做什麼？

給我來點新鮮的。

給你來點新鮮的。

對。嗯。我不會屏息以待就是了。事實和懷疑都是會隨時間變得朦朧的主題。各種事件在記憶中彼此交融並在考量現實時出現許多各自解釋的空間。你從惡夢中醒來時多少會鬆一口氣。可是噩夢不會因此遭到抹除。噩夢一直都在。就算在遭到遺忘後也一樣。你有些仍未理解的感覺即便很久之後也仍揮之不去。你試圖要問我的那個問題啊。我的答案是否定的。他們就是來到這裡。沒有事先宣布。沒有伴隨奇怪氣味、也沒有配樂。我聆聽他們的聲響。有時候啦。有時我直接睡去。

他們在房間裡你有辦法睡著嗎？

這簡直像是在跟芝諾[30]對話。你有想過那個問題嗎？事情總在你最想不到的情況下發生不是很有趣嗎？

好吧。可是總的來說你不覺得他們嚇人。

不覺得。

30　埃利亞的芝諾（Zeno of Elea，約西元前490年–前430年），古希臘哲學家，擁有高超的辯論技巧。

而這件事對你來說似乎不奇怪。

不奇怪。我當時十二歲。我可能以為這是伴隨青春期出現的狀況。或許其他人也會遇到。總之，嚇人的是青春期，不是那些幽魂。你的日子過得愈天真夢就愈嚇人。你的無意識會不停嘗試叫醒你。就各方面而言。所謂凶險是個無底洞。只要你還在呼吸就永遠有可能嚇得更厲害。但沒有。他們就是他們。無論他們是什麼。我從沒把他們看成超自然的存在。說到底也真沒什麼好怕。我已經學到我的生活中有些事物最好不要與人分享。從大概七歲起我就不再提起共感覺[31]的事了。這是一個例子。我以為那是正常的但當然其實不是。所以我閉嘴不提。總之，我知道有什麼要出現，只是不知道到底是什麼。到頭來無論你是否理解都會接受你的人生。如果我對這些幻象有任何恐懼也不是因為他們的存在或外表而是他們心裡的盤算。那是我無法明白的事。我唯一明白的是他們嘗試要為沒有形狀和名字的事物賦予名字和形狀。而當然我不信任他們。或許我們該繼續推進對話了。

可是他們總是任意來去？

任意？

對。

老天啊。我沒辦法回答你的問題。他們唯一對向[32]的意志大概是類似叔本華的意志。

我只是想點出對病患來說能自在面對幻覺是很不尋常的狀況。他們通常會明白這代表了一定程度的現實崩壞而這件事只可能讓他們害怕。

他們。

對。

嗯。我猜就我的理解精神失常者世界的核心在於意識到另一個世界的存在而他們不屬於那個世界。在他們看來大家對這裡的醫護人員要求不高對他們卻要求很多。

你真覺得是如此？

不。但他們是這麼想的。

這些生命體來娛樂你但實在不太擅長。娛樂你也好。讓你分心也好。你覺得他們本來該做的是什麼？

我**不**知道他們本來該做的是什麼。他們搞出的一切都爛到言語難以形容。

你對於他們想要什麼一定多少有點概念吧。

他們想用一種你從**沒**想過的方式面對這個世界。他們想質疑這個世界的存在。

---

31 共感覺（synesthesia）是其中一個感官受到刺激時會同時出現一個以上的感官反應，比如看到某個顏色時同時聞到某種氣味。

32 這裡的對向用的原文是subtend，是數學用語，指的是對向的角或邊。

為什麼要這樣？

因為他們就是這樣的存在。那是他們的本質。如果你只想獲得對這個世界的認可就不會需要讓這些奇怪的生命體出現在你眼前。

這是娛樂的目的嗎？如果可以稱為娛樂的話。我是說對世界提出質疑？

為什麼不行？

關於他們你還能多說點什麼嗎？他們能投射出影子？他們可以進入鎖上的房間？

他們的現身不會遇到任何困難。你絕不會想問夢中的角色會不會投射出影子。

不會。我猜是沒有。可是你說他們並不像夢中的角色。

不像。你可能會假定他們投入一定精力讓自己外表可信。但那只是一種顯而易見的偽裝。一種讓人分心的手段。

從什麼事情上分心？

我們又算是回到原點了。我猜想任何幻覺的第一要務就是要看起來真實，可是嘗試模擬一個你在其中所有資歷都已失效的現實又是另一回事。在這個新世界裡裝備好自己充其量只是做好準備而已。

你把他們稱為幻覺。

我只是試圖活在你的世界裡。

現在我很清楚你只是愛開玩笑。

你真想深入探討這一切？

我不確定這一切是什麼。

就是世上幾乎沒有快樂可言一事不只是一種看待事物的觀點。所有慈愛都很可疑。你終於搞清楚世界從未把你放在心上。從來沒有。

大多數人都是想辦法避免在絕望中渡過老天分配給自己的日子。

對。是這樣沒錯。

如果用一個句子去進行關於這個世界確切為真的陳述那會是什麼句子？

會是這樣：這世界創造出的活物它都打算摧毀。

我想沒錯。然後呢？世界一心想的只有這件事嗎？

如果世界有心的話那情況比我們想像的還糟。

有嗎？更糟？

我不知道我們有要談到這麼深入。

你是指這些諮商療程嗎？

對。我們回去聊那些老天分配給我們的日子吧。

好吧。

我懷疑有人會想重過一次自己的人生。他們一定連重過其中的一天都沒辦法。

我可以想出幾個我不介意重過一次的日子。

一些喜悅或獲得靈感的片刻有可能吧。但完整的二十四小時？

我不排除這個可能性。你花很多時間思考死亡嗎？

我不知道怎樣算是很多。深入思考死亡一事本該具有一定程度的哲學價值。甚至是一種緩解痛苦的作法。雖然說起來也沒什麼大不了，但我覺得最好的死法就是好好地活。為他人而死可以為你的死亡帶來意義。並暫時忽視他人反正終究也會死去的事實。

我不知道這些話有多少是為了做效果而說的。

就當作全部都是吧。

剛剛這句也是一個例子。為他人而活又是怎麼回事？

嗯。撇開那些社會型態上爛糊無定性的他者只專注於真實的人我想這情形應該罕見的至少足以稱為一種精神官能症吧。你怎麼想？

談這也行。你的檔案中有條筆記的大意是你說你正在腐朽。我想你使用的正是「腐朽」這個詞。你記得這句話嗎？聽起來是頗為典型的身體妄想症狀。文獻資料中有的那種。還是你只是在敷衍這裡的醫護人員？

說不定我只是無聊。

嗯。任何人都有無聊的時候。

不他們**沒**有。

他們**沒**有嗎？

沒有。他們根本不知道無聊是什麼。

好吧。我姑且相信你。不過人們普遍認為智力本身應該要能抵禦枯燥無趣。

我想沒錯。就一定的程度而言是如此。然後那扇抵禦的門會開始扭曲變形。

我猜真正讓我憂心的是這些臨床醫護抱持的懷疑主義——其中有些人到頭來顯然拒絕相信你說的一切——這讓治療變得很困難，或甚至成為不可能的任務。他們並不真正清楚要採取什麼方針來面對這個他們認定只是捏造出一切的人。

捏造出一切。

對。

那個問題百出的說法。

對。

真想問問他們到底以為自己拿這些薪水是要做什麼的。他們想解釋我的妄想症或是我偏愛說謊的傾向但事實是他們什麼都**無**法解釋。他們以為是治療一個有妄想症的人比較容易還是相信自己有妄想症的人比較容易？總之，我早就懶得解釋了。我受夠了。

你覺得自己屬於這裡嗎？我說海星聖母？

不覺得。但這沒有回答你的問題。我唯一真正有歸屬感的社會實體是數學的世界。我一直知道那是我的歸屬之地。我甚至曾經相信那裡比宇宙還重要。現在也還這麼想。

比宇宙還重要。

對。

你不是在鬧我。

還好。

我指的是捉弄我的意思。

我知道你的意思。

我猜我只是很驚訝你會把精神病院當成家一樣的存在。

或許不是當不當成家的問題。或許重點只在於利用人們願意給予精神失常者的寬容空間。

你會跟其他病患談話。

對。當然。

你覺得他們跟你說的是真相嗎？

什麼的真相？

就是普遍來說。任何事的真相。

我不知道。不。我的看法是這裡所有人基本上都同意所有其他人就是該出現在這個地方。你還能在什麼其他地方有這種感覺呢？

原來如此。

你真的不該再這樣說了。

我再看看能怎麼改善。我們重新聊聊你的那些熟人吧。欸我真不知道該怎麼稱呼他們。叫熟人就可以。

他們某種程度可以支配你嗎？我不太清楚。他們曾指示你要怎麼做嗎？

不。他們享有的支配地位就是他們清楚我是誰但我不清楚他們是誰。

這個說法基本上定義了你們的關係？

說不定那只是人們在處理自己與世界的相對位置時的一種關係模式。也就是說世界清楚你是誰但你不清楚它是誰。你是這麼相信的嗎？

不。我認為你在這個世界中的體驗主要都是在對抗世界不清楚你存在在此的這個不快事實。而且不我不確定這是什麼意思。我認為更精神性的觀點是要在默默無名中尋找恩典。因為受到稱頌就等於悲慟以及絕望的種子已然種下。你怎麼想？

我不知道。

人們不會去問這個問題。他們只是想知道：這個世界是否有意識到我們的存在。但這個問題還有夥伴。那不是唯一的疑問。這麼說吧：我們有資格存在嗎？誰說存在是一種特權？相對於存在的另一個選項是不存在。可是同樣的，這裡「不存在」的真正意思是不再存在。你永遠不可能從未存在。因為這樣就不會有從未存在的那個你。你怎麼想？醫生。

如果你想要的話可以叫我麥可。

我**沒**有。想要。

但你**不**介意我叫你艾莉西亞吧。

不介意。

你的名字本來是小艾。

那是我父親的幽默感。

什麼意思？

鮑勃和小艾是科學界進行特定種類的敘事提問時常出現的角色姓名。我改掉了。在我十五歲的時候。

你改掉你的名字。

對。

走了法律程序正式改名。

對。

不是需要滿十八歲才能這麼做嗎？

要。我是先改了我的出生證明。

怎麼做到的？

我哥哥有個罪犯朋友名叫約翰・薛登而他又有個朋友在田納西州的莫里斯敦經營專門偽造文件的印刷鋪。總之，我覺得艾莉西亞這個名字更矯揉造作。

你喜歡矯揉造作？

你說話真的很像Eliza那個程式。我是來自田納西州瓦爾特堡的小艾・威斯特恩呢我想成為霍亨索倫王朝的公主呢。

或許我真的有點像。真是個睿智的孩子。或許我們該繼續推進話題。這是你喜歡的說法。好吧。

真是段漫長的沉默。可以問你在想什麼嗎？

我沒有在。想什麼。

人們對於「沒有在想什麼」是否可能成立有一些疑問。對，哎呀。我也想過。當然你可以停止對自己說話。可是你只能透過對自己說話來達到這個目標。比如計算你的呼吸次數或默念一段格言。思考的話更困難。思考和說話不一樣。說話只是記錄下你在思考的事。說話不是思考的內容本身。我跟你說話時我的心靈有另一個完全不同的部分正在組織我即將說出口的話。但還不是以語言的形式。所以是以什麼樣的形式？認定有某個 **homunculus**[33] 在我們耳邊低語著我們即將說出口的話的這種想像毫無道理可言。除了會衍生出無窮倒退的鬼魂——誰在對正在低語的人低語——另外還衍生出一個跟思緒語言有關的問題。在思考我們如何從心靈連結到世界時這也是普遍謎團中的一部分。想像一千億個神經突觸活動不停在黑暗中持續喀噠作響如同盲眼女士正在編織毛線。當你說：我該如何說明這個？那個你嘗試說明的「這個」究竟是什麼？或許我們該繼續推進話題了。你也說這是我喜歡的說法嘛。

如果想改變什麼都能做到你會改變什麼？

想改變什麼都能做到的話。

對。

我會選擇不要待在這裡。

你是說這場諮商會談。

我是說這個星球。

你曾被放進自殺觀察名單。這是個多需要被認真看待的問題？

你想問自殺是個多需要被認真看待的問題？

不是。我是說你覺得你的自殺風險高嗎？

我知道你的意思。說不定只要你一直想著自殺就會沒事。畢竟只要下定決心後就沒什麼好想的了。

所以你在這個過程中的哪個階段？

我寧願不要被放在自殺觀察名單中。

同意。

如果可以一彈指就消失會有多少人這樣做？你會思考這件事嗎。所有存在以及曾經存在的痕跡都會瞬間消失喔。

不知道欸。沒像你這麼常想吧我猜。

就巴望著自己從未存在過啊。再次強調，這跟不再存在不是同一件事。那是誰說的？阿那克西曼德[34]？對誰來說是同一件事？

我不清楚。

你基本上不得不承認在最後的嘆息中垂死之人不只已經接受死亡還全心投身其中。當時一定有某種頓悟讓即便是我們之中最愚鈍又最癡心妄想的人都有可能不只接受原本無法接受的事還有那些難以想像的事。這個世界無庸置疑的終點站啊。這個終點一秒也不曾懷疑我們的可能結局。

33 拉丁語：幻象中出現的小矮人。

34 阿那克西曼德（Anaximander，約西元前610年–約西元前546），古希臘哲學家。

我猜也沒辦法在這個所有人共通的結局中獲得安慰。

嗯。我想你或許可以將死人當作某種群體。不過似乎**不**怎麼有個「群體」的樣子是吧？畢竟大家彼此互不相識很快也不再有人認識他們。算了。任何人只要享受著跟一般大眾不同的心靈生活就會被宣告為**根據天殺已知事實**患有心理疾病且需要藥物治療但這種想法實在荒謬。心理疾病跟生理疾病的不同在於這裡的議題總是而且只跟資訊有關。

資訊。

對。我們的存活是基於「必須知道的一切」。進化過程中沒有任何機制會讓我們得知對生存毫無影響的現象。我們存活時**不**知道的事物就是**不**知道。我們是這麼想的。

那算是超自然現象嗎？

我想那只是凡？

凡。

凡不能言說。

維根斯坦[35]。

非常好。你當作線索的麵包屑快沒囉。

那些熟人。既然他們暫時告假你有鬆一口氣嗎？

天曉得。或許在你的想像中我總是有能耐趕走他們。又甚至他們的出現是回應我的邀請。但就算真是如此我又怎麼可能知道。

為什麼不可能？

或許是因為邀請嵌合獸[36]進入你的房子是比邀請鄰居來喝茶還要更棘手的事。請他們離開或許也是。當然一旦被要求離開後，鄰居就知道他們不會有機會再回來。因此更有辦法自在地摸走銀器。嵌合獸又能摸走什麼呢？我不知道。他帶來了什麼？他帶來什麼很可能留下來的東西？他很可能是由虛幻影霧組成的事實不代表他離開後你家還會跟他抵達前一模一樣。

你有當著沙利竇邁小子的面那樣叫他嗎？

有。一次。

他怎麼說？

他說：老天，勞拉[37]。你真是無人能及。

35 奧地利哲學家路德維希．維根斯坦（Ludwig Wittgenstein, 1889-1951）曾說「凡不能言說，須保持沉默」（Whereof one cannot speak, thereof one must be silent）。

36 嵌合獸（chimera）另名為奇美拉，在希臘神話中是另外長有一個羊頭的獅子神獸，另外尾巴還是一條完整的毒蛇。後來這個字也變成「嵌合體」的概念，是有進行基因嵌合的單一生物體。在此應該也呼應了作者不停在文中將兩個英文字連結成一個英文字的概念。此概念與《乘客》彼此呼應。

37 根據《乘客》，小子在說話時偶爾會在句尾加上一個跟前句最後一個詞讀音類似的人名，這裡的勞拉是跟前面的老天有押一個頭韻。（原文是用 Jessica 對應前句的 Jesus）。

他真的這樣說？

他真的這樣說。

你現在和家人還有來往嗎？

只有奶奶。

我以為你還有一個舅舅？

是有。可是他比我還瘋。我想她總有一天得把他送去療養院。最近他開始在很難找到的奇怪地方排泄。他不知怎地還想到辦法在廚房天花板的燈裡大便。這還只是其中一個例子。我會跟她通電話。雖然頻率很低。她覺得電話是奢侈品。她在田納西的童年時代家裡有電話的都是有錢人。我在羅德島有父親那邊的親戚但跟他們不太熟。

為什麼？

他們覺得我父親的結婚對象配不上他。他們覺得我們就是一群鄉巴佬。

這會讓你介意嗎？

不會。他們就是一堆天殺的白癡。我猜這樣講就代表我很介意，對吧？不知道欸。我從沒想過他們的事。

你上次見到你奶奶是什麼時候？

大概三個月前。

有打算再跟她見面嗎？

你一直在試探我，可不是嗎？

只是想知道你喜不喜歡她。

很喜歡。我在十二歲時失去了母親而她失去了女兒。共享的喪親之慟本該把我們連結在一起可是她開始在我身上看到一些難以描述的徵兆。她一定不知道「奇才」這個詞源自拉丁文的「怪物」。總之我以前用來拐騙別人的一些心理遊戲已經變得不可愛了。我愛她。可是有時我會發現她用一種令人很不安的方式盯著我看。修女覺得我是個大麻煩所以強迫我跳級。我甚至連重點中學的最後兩年都沒讀完。我當時基本上已經不再睡覺。晚上會在路上不停走。就是鄉下那種基本上完全不會有車經過的二線道柏油路。有天晚上我回來時廚房的燈還亮著。當時大概是凌晨三點我沿車道往家裡走而她就站在廚房門口。我還沒走到門口她就轉身走上屋內樓梯。我知道如果這次沒有跟她好好談一談那之後不太會有其他機會了所以我幾乎要開口喊她但終究沒有。我心裡想著等我年紀再大一點情況會有所改變。我想著她以及她的人生。想著她必定曾為她女兒懷抱的夢想以及自己的夢想。我知道我為她流的眼淚遠比她為我流過的所有眼淚還多。而且我知道她對鮑比的愛遠勝過於她可能對我付出的所有愛但沒關係。我不會因此減少對她的愛。我對她的理解遠勝過於我該知道的。可是我還是認為如果你有個十二歲的孫女凌晨三點在外面走路或許你該叫她坐下然後好好跟她談一談。但我知道她做不到。

為什麼她做不到？我不確定我理解你的意思。

我不知道要跟你說什麼。不確定該怎麼說。最簡單的解釋我猜就是她知道這裡有個壞消息而她不想知道。如果說「她怕我」可能又太誇張了。但或許也不算太誇張。我猜她害怕無論情況看起來多糟實際上都可能更慘。而當然她想得沒錯。

她是在你母親死後負責照你。

對。

你哥哥幾歲？我說那個時候。

十九歲。

你父親還活著。

對。

但你幾乎見不到他。

沒錯。

他有來參加你母親的葬禮嗎？

沒有。

真的？

真的。

你難過嗎？

不會。我自己也**沒**參加。

你**沒**參加你母親的葬禮？

沒有。

你家人怎麼說？你哥有去嗎？

有。當然。我當時十二歲。正經歷一場宗教危機。我不想坐在那裡經歷那場教堂中央走道擺著裝有我母親棺木的大彌撒。我做**不**到。

你哥哥怎麼說？

他親吻我的臉頰悄聲說他愛我還說一切都會過去。然後一切都過去了。

然後一切都過去了。

對。聽著。這就像重複播放壞掉的唱片。我是為了你這麼做，不是為了我自己。我只是拿到一封必須幫忙遞送的信而且被交代不要讀內容。而我讀了。現在也**沒**辦法當作沒讀過。時間到了。

喔。好的。沒問題。

二

你最近如何？

還行。

我上週很掛念你。

這樣啊，嗯。你也知道的。很忙。

很忙。

開個玩笑而已。

好吧。

好吧。

所以你最近有什麼煩惱嗎？

不知道欸。你妻子是什麼樣的人？

我妻子。

對。

她是義大利人。你問我她是怎麼樣的人？

對。

她很有魅力。喜歡巴哈。還喜歡義大利食物。她的工作對象是聽不見的孩童。

她很會煮飯嗎？

對。

她不是猶太人。

她是猶太人。

她人很好。

非常好。

你有所保留。

我們離婚過。三年。然後又再婚。

你對她不好。

對。沒錯。

為什麼要這樣？

因為我是個白癡。

奧本海默也是這樣說的。在聽證會上。

如果把他算成白癡似乎有點奇怪。

我想這也是那段話令人印象深刻的原因。所有認識愛因斯坦、狄拉克[38]還有馮紐曼的人都說他是他們見過最聰明的人。

你說奧本海默。

對。

我想你父親認識他。

我父親為他工作。

他的看法是什麼？

你是指對奧本海默的看法。

對。

他覺得他迷人、有魅力，而且博學多聞。很擅長主辦派對。還有點嚇人。

嚇人？

對。

哪種嚇人？

他覺得奧本海默沒有好好掌控自己的智力。他這人是有辦法做出糟糕決定的。

結果他有嗎？

有。

但沒像撒旦那麼邪惡。

那樣講就太誇張了。

我猜你的世界觀中沒有撒旦。雖然你似乎也承認在一切事物的體系中有非常接近邪惡的存在。這是你之前提起卻斯特頓的評語。

嗯。我沒見過撒旦。但這不代表他不可能突然出現。卻斯特頓沒有評論的是神那些特別物質性的興趣。畢竟如果你完全是精神性的存在又怎麼可能沾染任何物質氣息？在審判日復活的死者身體？那又是怎麼回事？難道這代表靈魂只會脫離，不會消解？基督據推測是以肉體的形式飛升進入天堂。其神性受到原本無須負擔的東西所拖累。這種瘋狂的狀況我們實在很難知道要如何理解。所以你可以明白卻斯特頓為何避而不談。

你剛剛提到的精神性危機也包括這些嗎？

只是評論這個現象而已。現實的精神本質始終都是人類關心的重點而且短期之內不會改變。所有東西只是物質的概念對我們來說似乎沒用。

對你來說有用嗎？

38 保羅・阿德里安・莫里斯・狄拉克（Paul Adrien Maurice Dirac, 1902-1984），英國理論物理學家。

這就是問題的關鍵所在，不是嗎？

你在洛斯阿拉莫斯長大。

對。我們在那裡一直住到我母親過世。嗯。她其實是在田納西過世的。

你對洛斯阿拉莫斯有記憶嗎？

有。當然。

你離開時幾歲？

十一歲。

十一歲。

對。

那裡怎麼樣？

你說洛斯阿拉莫斯。

對。

我覺得在戰爭期間算是挺落後的吧。根據推算總共只有八千台滅火器和五座浴缸。而且到處都是泥巴。我大部分記得的都是很多人會在我們家一路聊天到凌晨三點。

你熬夜到凌晨三點？

對。屋子裡都是香水和香菸的味道。你可以聽見玻璃杯的敲擊聲。我會躺在床上醒著等到最後一位客人離開。

你不可能聽得懂他們的對話內容。

我可以懂的是我必須努力學習才能聽懂他們在談什麼。

你還記得自己此生最先開始思考的是什麼嗎？

我能做的就只有思考。

我不確定我懂你的意思。

我明白我必須在此刻的處境待上很長一段時間而我得想辦法搞清楚這是怎麼回事。也明白一切取決於我是否能搞清楚自己的處境為何。倒不是我認為有其他地方可以去。世界作為一種絕對的存在對我來說是清晰無比的事實。可是我得搞清楚世界究竟是什麼。

出於恐懼嗎？

對。

回答得真快。

孩童是充滿恐懼的生物。

你在幾歲時發現自己對數學有興趣？

大概早在我有記憶之前就發現了。我一開始很愛音樂。之前有絕對音準。其實現在也有。之後我想我是逐漸開始發現世界本身就足以推翻所有人針對世界的全面性解讀。可是音樂似乎是永遠能不受一切限制的例外。音樂感覺起來神聖不可侵犯。感覺起來獨立於一切。完全自我指涉且內在每個部分都具有一致性。如果要把音樂描述成超越一切的存在我們也可以聊聊超越性這件事但大概無法談得多深。我有非常強的共感覺傾向所以我想就算音樂擁有一種與生俱來的現實狀態——顏色和氣味——也很少有人認得出來，那麼或許其中還有一些尚未被辨識出來的屬性。可以確定的是就算這一切是主觀的也不代表只存在於人們的想像之中。我沒有解釋得很好，是吧？

我還在聽。

如果你把一段音樂拉長——如果可以做到——就能讓逐漸遠去的音調如同顏色般褪去。我真不知道如何解釋。

所以音樂是從哪裡出現的？

沒有人知道。任何一種理想中的音樂理論只會混淆視聽。音樂只是從相當簡單的規則中孕育出來的結果。不過真的不是任何人的創造物。我指的是這些規則。音符本身累積出來的結果幾乎可說微不足道。但就算渴盼著理解這些音符的特定組合結果為何能對我們的情緒造成如此深遠的影響也是不可能的。音樂不是一種語言。音樂除了自身之外沒有任何其他指涉。你想要的話大可用字母去命名那些音符但並不會因此改變什麼。奇怪的是，這些音符並非抽象的存在。我們所認識的音樂本身是完整的嗎？從什麼意義上來說？除了大調和小調之外還有我們尚未發現的系統嗎？似乎不太可能，不是嗎？但話說回來，很多事物在出現之前都感覺不可能存在。這些系統代表什麼意思？它們是從哪來的？如果是兩種不同的藍色調又代表什麼意思？我是指在我的眼裡看來。如果音樂早在我們之前就存在，那又是為誰存在？叔本華曾說過如果整個宇宙都要消失唯一剩下的會是音樂。

這說法挺大膽的。他自己相信嗎？

大概不信吧。

你呢？

我想他只是在嘗試建立它的卓然地位。我是指音樂。可能是作為一種超越性的現象？或是不借助任何幫忙就能存在的事物？

有任何事物可以不借助任何幫忙而存在嗎？

邏輯上是不行。如果一個空間裡只乘載著單一實體那等於不存在。畢竟沒有一旁的參照物就無法確認此實體的存在。

我**不**明白。

不重要。反正那是古典世界觀。

你已經關心這些議題多久了？

不知道欸。我不知道回憶的意義。這是其中一個例子。其中一個問題在於每段記憶都是之前某段記憶的記憶。你**不**可能記起最原初那段記憶中的所有內容。所以你怎麼做？你只是在回憶你的回憶。而且只有最近那個版本的回憶。

我不確定我有聽懂。

我高中入學時第一個去的地方就是圖書館。那就是個放了一張書桌以及大約一千本書的小房間。或許沒那麼多吧。其中有本柏克萊[39]的書。我不知道這本書為什麼會在這裡。可能因為柏克萊是個主教吧。嗯。幾乎可以確定就是因為柏克萊是個主教。可是我坐在地板上讀了《視覺新論》[40]。這本書改變了我的人生。我第一次了解視覺世界其實存在於你的腦中。其實應該說，整個世界都在你的腦中。我不全然相信他的神學推論但他的生理學論述卻是無從辯駁。我在那裡坐了好久。慢慢消化這些資訊。實在很難擺脫視覺世界其實是有眼睛的生物創造出來的這種感受。並非無中生有但卻是源自我們永遠不知真正現實狀況為何的某種事物。康德的說法吧。我們也無法透過伸手觸碰來驗證視覺世界的現實狀況。這只是其中一個例子。畢竟怎麼可能有彼此矛盾的現實存在呢？如果我們擁有的感官彼此無法達到共識那我們根本不可能存在於此。

我想我會仔細思考一下這件事。在此同時我得說你肯定有意識到也有其他人逐漸意識到視覺世界真正發生的所在——在大腦的視覺皮層內而非外在的世界中——但並沒有因此失去世界的現實感。

事情沒那麼簡單。畢竟緊接著走進門的是在舞台側翼等了一千萬年的另一個世界。等我從圖書館地板站起來時已經是另一個人了。

你覺得你在這個世界是孤獨的嗎？
對。你不覺得嗎？
不。我不覺得。話說那些開始在你房間出現的娛樂藝人。他們也屬於這個世界嗎？
我不知道。
有種理論認為他們的存在更像是為了繞過這個世界。
有種理論？
對啊。
還有其他說法嗎？
要從何談起啊。
就從一切的開端談起吧。
一切的開端是文字。
可是你不相信文字。
我逐漸明白的其中一件事情是宇宙有無數個數十億年都是在徹底的黑暗及徹底的靜默中演化

39 喬治・柏克萊（George Berkeley, 1685-1753），英裔愛爾蘭哲學家。
40 《視覺新論》（*A New Theory of Vision*）為喬治・柏克萊在一七〇九年出版的著作。

著而且我們想像宇宙的方式並非它實際存在的方式。一開始總是什麼都沒有的。那些新星沉默地爆炸。在徹底的黑暗中。那些星星啊，那些劃過的彗星啊。所有事物充其量都只是疑似存在。黑色的火焰。像是地獄之火。靜默。虛無。夜晚。黑色的太陽追趕著大量星球穿越宇宙其中所謂空間的概念毫無意義因為缺乏任何可能的盡頭。缺乏任何能夠藉以確立空間的概念。於是我們再次回到現實的本質沒有目擊證人的問題。這一切直到第一個生命擁有視覺並同意將宇宙銘刻在其原始且顫抖的感覺中樞內並透過顏色及動態還有回憶去碰觸它為止。這讓我瞬間成為獨我論者而且就某種程度而言我到現在也還是。

你當時幾歲？

十二歲。

你始終沒從高中畢業。

沒有。我拿到去芝加哥大學的獎學金後就打包行李離開家。現在回想起來我當時怎麼可以如此淡然以對。我奶奶開車載我到諾克斯維爾的灰狗巴士站。她那時在哭而我是直到巴士離站後才意識到她是覺得再也見不到我了。

說這件事讓你看起來很傷心。

說這件事確實讓我很傷心。

你在高中有朋友嗎？

一、兩個吧。其他人都不想理的那種小朋友。

你想要朋友嗎？

想。只是不知道怎麼交朋友。我曾覺得上大學之後或許能有新的機會。

結果有嗎？

是交了幾個朋友。但還是不太與人來往。就不太擅長。我不喜歡參加派對也不喜歡被人看上。

被人看上。什麼意思，向你求歡？

對。

你對男生有興趣嗎？

我對一個男生有興趣。但我的感情沒有獲得回報。

為什麼？他不是同性戀吧。

不是。是別的問題。

所以是他年紀比較老。

所有人的年紀都比我老。那不算什麼問題。

那是什麼問題？

別的問題。

好吧。等你上大學後那些熟人呢？
他們在大約兩週後出現。搭巴士來的。
你真的相信他們是搭巴士來的嗎？
我真的相信他們是搭巴士來的嗎？
好吧。你有跟小子談過這些問題嗎？
有。
我想應該沒談出任何結論。
沒有。
我想大概也沒辦法有結論。你把小子當朋友嗎？
到頭來他大概算是我僅有的朋友。然後就沒有別人了。不過發現如果小子離開我的生命我會想他的那天我真的很震驚。你在寫什麼？
就是一些之後用來提醒自己的筆記。可以嗎？
當然。記得買牛奶啊。打電話給媽媽啊。
你想看嗎？
不想。
確定嗎？我不介意喔。

我確定。

你覺得我有時沒有認真在聽吧。

我覺得你有認真在聽。但不確定你聽進去了什麼。

你在這裡有朋友。我是說在海星聖母這裡。他們怎麼樣？

對，嗯。有時我會在交誼廳挑一個人然後坐下開始跟對方講話。

他們都說些什麼？

通常沒說什麼。但有時他們會聊起正在想的事然後在他們會在漫長的絮語中提到我剛剛說過的話。就很像晚上你可能會把一些外在聲響融入你的夢境。而我得說看見自己的思緒分門別類地進入他們的獨白中實在有些令人不安。我想融入這裡可是我沒辦法。他們也很清楚。最近有幾十個精神科醫生想辦法讓自己被送入好幾個不同的心理照護機構。那是一場實驗。他們只是說自己會聽到有人說話的聲音就立刻被診斷為思覺失調。可是機構裡的住民盯上他們。他們把這些精神科醫生仔細打量過後表示他們根本沒瘋。還說他們大概是記者之類的。說完他們就走開了。

你想融入這裡嗎？

我不是為了做實驗來這裡。我大可隨心所欲地渲染我的狀況可是到頭來我就是在這裡了。

我覺得你剛剛這個說法有點怪。

我就是個有點怪的女孩。把錄音帶倒回去聽吧。重聽會有新發現。

你有意識到你長得非常好看嗎？

你想上我嗎？醫生？

沒有。我從未跟病患發展關係。不過總之，我也有過不忠的紀錄。你有遇到任何諮商師試圖引誘你嗎？

我想以他們的作為來說「引誘」算是個過度美化的說法。

有任何諮商師試圖強暴你嗎？

有。一位。

你怎麼回應？

我跟他說我哥會來殺掉他。你沒幾個小時可活了。

真的嗎？你哥會這樣做？

對。

毫無疑問。

毫無疑問。

柏克萊。讀他的作品會加深你對現實抱持的懷疑主義嗎？

我不確定我懂這個問題的意思。

如果要說他對你有任何影響的話。

如果有的話啊。我確實因此開始質疑自己對現實的理解，沒錯。可是也讓各種哲學探究的歷史對我來說變得更為可信。這讓認識論成為一門合情合理的學科。我認為這甚至讓我看清從認識論本身探問中衍生出的欺瞞成分。

現實始終是探討主題。

差不多是這樣。

現實是可知的嗎？

喔我的天。

我收回這個問題。有什麼我們不知道但你巴望著我們能知道的事？

你是指除了那些沒有答案的老生常談嗎？

我們是誰啊，為什麼在這裡啊，是什麼造就了有而非無啊。

對。

你想試試看回答這些問題嗎？不如說說看是什麼造就了有而非無？

無的概念是一個無法被理解的概念。

你還在研究物理學嗎？

沒有。

什麼是膠子？

一個可以被理解的概念。

膠子是一種力還是粒子？

粒子。不過就那樣的規模而言兩者的區別不是很清楚。

膠子的作用是什麼？

在夸克和夸克之間傳遞訊息。其實沒那麼複雜。原子是由更小的粒子組成。就是核子。而這些粒子是由夸克組成。通常是三個。夸克當中有些很蠢的名字。像是頂夸克和底夸克。還有上和下夸克。一個正電子是由兩個上夸克和一個下夸克組成。一個中子是由兩個下夸克和一個上夸克所組成。以上是其中兩個例子。這些組合都能運作。沒有人能百分之百確定為什麼。不過膠子的工作是確保所有粒子獲得所有訊息。

為什麼量子力學被稱為量子力學？

因為其中解釋了力學。物理學家都會把重音放在量子這個詞上。因為這說明了我們談的是哪種力學。所以發音不是量子「力學」。

好吧。

你看起來半信半疑。

不。沒事的。為什麼這個學問那麼怪？據大家說是這樣。

沒人知道。

我是說到底怪在哪裡？

我知道。確實有些議題可以談談。費曼說量子的所有怪異之處都已經體現在雙縫實驗中了。他應該是對的。他也通常是對的。這個實驗無論怎麼隨便重覆[41]，都顯示出單一粒子能同時穿越兩個分別獨立的縫隙。

你相信嗎？

熱切相信。

而這也是量子力學的內容。

沒錯。

一個備受推崇的物理學理論。

對。在人類史上發想出的物理學理論當中是最成功的。總而言之是個關於各種小粒子的理論。包括原子和更小的粒子。又或者說這是人們普遍的看法。但這有可能只是個充滿計算缺陷的理論。有些物理學家懷疑這個理論最終會得出宇宙本身是一種量子現象的結論。畢竟到頭來量子力學描述的正是整個宇宙。

你是這麼懷疑的嗎？

---

41 此處原文為「repeated ad whatever」，其中的「ad whatever」應該是改寫自「ad infinitum」（無限）。

是。我也是抱持這類懷疑的其中一人。

還有呢。

還有呢？

還有哪裡怪。

實驗，無論是 **gedanken**[42]或實作的實驗，總之似乎都必須要有我們的積極參與。如果我們不在場那些實驗就無法運作。而令人不願接受的真相在於除了費曼的求和理論外沒有其他針對量子力學的解釋可以不牽涉到人類意識的參與。當然此處引發的問題在於我們還沒被創造出來之前這個理論究竟要如何運作。不過事情也沒那麼簡單。我想其中指出的是人類意識和現實並不是同一件事。這點我們很久以前就明白了。就算我們對康德的理論不是那麼肯定也一樣。我是指在目前這個例子中。總之，你不能忽視這些實驗提供的證據。無論是雙縫實驗中的一切還是斯特恩—革拉赫磁場實驗的奇怪操作總之有許多相當聰慧的科學家都發現自己甚至無法智取一顆鈉粒子。在某些領域中有種很受歡迎的想法是把這些探問僅僅當作一種哲學思考。而對這些探問的最常見答案就是少廢話啊好好進行計算就是。

但你不是這樣。

不是。這些計算生產出的是偏微分方程式。而宇宙的真相存在於那些方程式的另一邊。

物理學家的看法呢？

沒什麼看法。大多時候只是翻翻白眼。他們不是康德那種人。「不可知的絕對」的問題在於要是你真能說出它的一些什麼那它就**不**再會是「不可知的絕對」。你甚至不用從椅子上起身就能從本體過渡到現象。換句話說，沒有任何事物可以不透過感知就被從絕對中引用出來。要記住為不可知的事物宣稱現實性本身就是胡說八道。一個客觀的完美世界——無論是康德的還是任何人宣稱的世界——的問題在於根據定義是不可知的。我熱愛物理學可是我**不**會把物理學和絕對的現實混為一談。那只是屬於我們的現實。各種數學概念都有相當長的**保存期限**。但這些概念存在於絕對之中嗎？那怎麼可能？我對自己這麼說。但接著我的這個自己又成了另一個自己。這是很自然的結果。於是數學也遭到席捲。因為那個變成另一個自我概念。這是段漫長的不安定時期。等我重新將一切連貫起來後我已經進入不同的狀態。就彷彿逃離自己的**光錐**[43]。進入以前曾被稱為絕對彼岸的所在。

我**不**明白。

我知道。我也不明白。只是我以前相信你**不**能在不將什麼從絕對中取出的情況下將任何事物從絕對中取出。取出就一定會將其轉化為現象。而那個事物也因此成為全身上下充滿我們印記的

42 德語：思想。

43 這裡的原文寫的是lightcone，指的應該是狹義相對論中的光錐（light cone）。

資產所謂的絕對也就無從尋得。但現在我沒那麼確定了。

我們可以談談小子嗎？

當然。管他去死。

看來我戳中痛處了。

也還好。我只是突然想無禮一下。

他長什麼模樣？

身高九十七公分。有張古怪的臉。我猜可以說長得很怪。看不出特定年齡。身上有長鰭。就算沒全禿也快了。體重可能二十二公斤。你在微笑。

我正在想像他踏上凱倫[44]在冥河上的渡船。

對。我之前也有想到。話說但丁是直到自己踏上小船並感受晃動逐漸停止後才想出這個畫面。

我不知道這件事。

好吧哎呀。抱歉剛剛罵你。

不是什麼大事。你怎麼知道他九十七公分？

我有量他。

他乖乖站著給你量？

不是。我是用泰利斯量金字塔的方式來量的。我記下他投射在地毯上的影子長度然後跟我自己的影子相比並藉由我們影子的相對長度來推斷出我們各自的身高。

你為什麼想知道他的確切身高。

我想我只是想知道他是不是真的有身高。

還有呢？

他沒有眉毛。身上有些傷疤。可能是燒傷。他的頭殼上有疤。就好像出過某種意外。或是有難產狀況。反正就是遭遇一些困難。他身上穿著某種和服。而且總是在來回踱步。兩隻鰭背在身後。有點像**溜冰者**的姿勢。他老是在說話而且會使用一些我不確定他是**否**真的理解的諺語。那種感覺像是他在某處發現了這種語言但還**不**是很確定如何運用。儘管如此——又或許正因為如此——他有時會說出很驚人的話。但他不是人們作夢時會夢到的那種角色。他的每個細節都邏輯一致。他是完美的。他是完美的人。

人物。我想你之前是這麼說的。

那就人物吧。

回去談幾年前的狀況吧。氯丙嗪這種藥物讓這些熟人不再來訪。這難道**沒**有讓你意識到他們所存在的現實本質嗎？

---

44 凱倫（Charon）是希臘及羅馬神話中在冥河上擺渡的船夫。

又或是我能夠認知他們存在的能力。

嗯。我想也可以這麼說。

我想是可以的。而且我剛剛也就是這麼說了。藥物會改變一個人的認知。但目標是要符合什麼樣的標準？我以前對這整件事抱持更堅定的信念。可是每個人對現實本質抱持的信念必定也會反映出一個人感知現實的各種侷限。然後我乾脆不再煩這件事了。我接受我將在不真正清楚我曾身處何處的情況下死去的事實而且就算這樣也沒關係。嗯。幾乎是沒關係吧。我跟萊納德說現實充其量只是一種集體預感。可是那也只是我從一位喜劇女演員口中偷來的台詞。

萊納德？

他是我在這裡的朋友。

他有笑嗎？

沒有。他很認真看待這段話。

小子某次跟你說其他人可以看見他？你有說過這件事吧？

就是一些其他人。

你覺得那是什麼意思？

我不知道。你才是精神科專家吧。

你不會再見到他了。我指小子。

你又在套我的話了。
可是你已經跟他道別了對吧。
對。
他怎麼說？
沒說什麼。他想知道我會不會想他。
他想知道你會不會想他。
對。他對我朗誦了一首詩。是個驚喜。我不知道是什麼意思。
你還記得嗎？
記得。他讀得很快。
我是問詩的內容。
我知道你的意思。
我猜我該直接問你願不願意告訴我。
不。我不願意。
把小子當成某種邪惡的妖靈鎮尼[45]——我想之前你大部分的諮商師都抱持這種看法——並不

45 這裡的妖靈鎮尼（djinn）是伊斯蘭教對超自然存在的一種泛稱。

是你同意的看法。又或者你會說情況並非如此。
情況並非如此。不是。
但你可以告訴我你是怎麼看待他的嗎？
我想我怎麼看待他就是什麼情況。不是嗎？
好吧。
讓你真正有疑問的不是小子。讓你有疑問的是我。而我無法說出你想要的答案。就算可以大概也不願意。
好吧。抱歉。
不用抱歉。你知道《邏輯哲學論》[46]嗎？你知道「凡」那個是從哪裡來的吧。
有看過。但實在看不太懂。
我認為小子的情況是他也只是盡力生存而已。就跟所有人一樣。
你覺得他是有益的存在嗎？
如果我覺得他有益也是因為我知道外頭還有其他什麼。
而那些其他什麼是我——就先舉我為例子——可能沒有意識到的。
應該說就算你沒意識到我也不驚訝。
你怎麼看待人？普遍來說。

這算是個問題嗎？

為何不行？

我猜我就是盡量不去。想他們。

真的嗎？

不。我想我的心裡有愛。只是表現出來的是憐憫。我想像我已經見過世間的恐怖但我知道實情並非如此。儘管如此，已經看過的也**不**能當作沒看過。從未有一個世紀如同這個世紀般處境嚴峻。真有人認為我們已經見過最嚴峻的處境了嗎？然而對一個連自身苦難都承擔不了的人而言世間苦難又能代表什麼意義呢？

有時代表一切？

對。我想你有可能是對的。

抱歉。我**沒**有想要讓你難過。

我沒有難過。真要讓人難過的其他事還多著呢。

或許我們該休息一下。

好。

46《邏輯哲學論》（*Tractatus*）是維根斯坦的著作，一九二一年首先以德語出版。

——

你還好嗎。

還行。

我們還有二十分鐘。

我知道。來吧。

你喜歡做什麼？享受什麼？

聽起來像是教科書裡要你問的標準問題。你曾獲得的最怪答案是什麼？

不確定可不可以說。可是病患總能出乎你的意料。

他們能讓克拉夫特—埃賓[47]驚訝嗎？

我是指好的那種出乎意料。他們有時會有一些相當高雅的興趣。不過我得說他們通常會為了一些讓他們痛苦的事物放棄那些本來珍視的興趣。你除了數學以外的主要興趣是音樂吧。

對。

你之前是個多棒的小提琴家？

相當棒。不過我永遠無法成為那種到處開音樂會的小提琴家。

因為你**沒**有棒到那個程度。

我不願意練習。我從未連續練好幾週過。就是做不到。

你就是沒那麼有興趣。

不。我熱愛小提琴。可是我更愛數學。我在數學上大概花了兩萬小時。

那可是很多的時間。

過程你都記得嗎？

對。必須記得。

還有呢。

不知道欸。從你的提問列表中隨便挑一個吧。

你覺得你和母親的關係跟目前這個狀況有任何關係嗎？

你這是在模仿Eliza說笑話吧。

對啦。總之，我想問你對精神科醫師的看法。想知道你的評價有多糟。

那在提問列表上嗎？

有什麼不可能嗎？

我以前一直覺得任何人要走精神科醫學這條路自己本身就必須不太穩定。如果你對精神失常

---

47 理察·馮·克拉夫特—埃賓（Richard Freiherr von Krafft-Ebing, 1840-1902），德裔奧地利精神醫學家。

者的看法太過科學客觀其實是一種劣勢。但話說回來你又**不**能只是個瘋癲的傢伙。

你以前一直覺得。

對。

那現在呢?

問這個有什麼意義?

你說不定比我還更了解這群人。

不知道欸。我猜我**無**法想像你跟一堆精神科醫生混在一起的樣子。可是話說回來我也**不**知道你都跟哪些人混。

我猜我確實覺得病患比醫生更有趣。

我也是。

你們**不**把我們做的工作視為科學。

確實。那些看病的醫生似乎完全迴避神經科學。只是提著油燈和筆記夾板在一道道腦溝中漫遊。還是該講一**堆腦溝**?其實很容易看出原因。畢竟精神病如果只是一些神經突觸的異常放電你為什麼**不**只是卡住不動?但你並**非**如此。你會獲得一個受到精心刻畫而且是此前從未見過又相當清晰可懂的世界。這個世界的創造者是誰?那個跑來跑去把垂落線路以不尋常的全新方式連接起來的人是誰?他為什麼這麼做?遵循的是什麼樣的演算法?我們為什麼會懷疑有這樣的一個人存在？

我毫無概念。

那些看病的似乎**沒**有認真思考瘋人對於自己組建起來的世界付出了多少關愛。他們想像自己是在質疑的那個世界但實際上不是。這些精神病學家像是牧師面對罪惡時遊走在人類狂亂的邊緣。在執行自身義務的門前動彈不得。透過扭曲的嘴唇研讀著毫無立足點的現實。這殊異的國度啊。換一個問題。發想一個理論。對你手頭工作造成威脅的敵人是絕望。是死亡。就跟在現實世界一樣。你看起來沒有被說服。

我在聽。

還有十六分鐘。

你是在想辦法把這些時間拖過去？

不是。我想何時停止都可以。

我們隨時都可以停下來。

挺像喬叟的風格。我們隨時都可以停下來。

你**不**相信治療師真有治癒人的能耐。

我想大部分人的想法都是這樣。真正有療效的是關心，而非理論。這觀點全世界適用。甚至到了最後所有問題都只發生在精神層面。就算卡爾．榮哲再**異想月開**他針對這件事的看法也可能是對的。要記住德國人的語言並沒有把心智和靈魂兩者分開。至於這些機構，你會以為像是海星聖母這種地方已在思想上做好一定程度的準備。只是不知道有誰會來。我認為這裡提供的照顧與關心是很好的，可是就跟所有地方的照顧與關心一樣永遠追不上需求。而且經過這麼多年就連磚塊都被汙染了。這裡有各式各樣的解藥但沒有真正的解方。曾經承接過非比尋常的苦難之地終將被夷為平地或成為神靈所在的殿堂

你的所有看法都這麼沉重嗎？

我不覺得這些看法很沉重。我覺得我只是務實。精神疾病是一種疾病。不然還能怎麼稱呼？可是就我們的理解而言這種疾病和一種根本像是屬於火星人的器官有關。所謂的異常行為有可能只是宗教真言。其中掩藏的多過於揭露的。而且這些治療師面對的其中一個問題是病患或許沒有想被治好。告訴我，醫生，如果到了這個地步我會有什麼遭遇呢？

瘋人會有正義感嗎？

你是認真在問的嗎？他們總是怒火中燒。不正義是他們最在意的事。我想你的眼神開始渙散了。

我沒事。你從來不看時鐘，對吧？

我不需要看。

我們的進展如何？我指時間方面。

多麼絕妙啊，你的這個想法。時間的方面、時間的智慧[48]。我們還有十四分鐘。日子感覺漫長但一年年的時光總是短暫。

你的人生中有任何一個階段可描述為不穩定但卻跟那些……什麼？小夥？毫無關係嗎？

讓我看看能不能幫你重新組織這個問句。

當然。

來給你提供免費服務吧：我是一直以來都很瘋還是只有我那些小朋友在身邊時才很瘋。

好。

我不知道那是什麼意思。我不認為我沒看到小子時小子就不存在。以上是我舉的其中一個例子。就是個量子力學小子。或許我們該推進話題了。

好。你有什麼重要資訊是我不知道的？

這也是教科書裡要你問的標準問題？

我想不是。

我是女同志。

我想不是。

48 這邊一開始醫生說的是「Timewise」，而主角回應的部分說的是「Time wise」。

你怎麼知道。

我就是知道。你會跟我調情。這是其中一個原因。

你認為我受你吸引。

對。我想我得說是這樣沒錯。

嗯。真抱歉。我那樣做跟調情無關。

所以跟什麼有關？

或許只是跟生命中無人陪伴有關。跟被迫接受無論你跟什麼道別都不會獲得回應的事實有關。

你有跟奶奶說你哥的事嗎？

有。我得告訴她。

她怎麼說？

開始哭。還一直喊他的名字。

她還有說什麼嗎？

她問我是不是從義大利打電話過去。

她打算去義大利嗎？

沒有。她不可能知道如何過去。

你可以帶她去。

不。我沒辦法。

那也沒關係。

但其實不是沒關係。對吧？

如果你不想談你哥我可以理解。不知道欸。你有對他說什麼嗎？你覺得他有可能聽見你說的話嗎？

我跟他說我寧願跟他一起死也不想活在沒有他的世界裡。

我想這是一種預告。

你的人生像條狗一樣緊咬著你不放。

這是引用自誰的話嗎？

據我所知不是。

總之不是什麼猶太名言。

不是。

你有跟任何猶太家人保持聯繫嗎？

沒有。我們不是在猶太人的環境中長大。

可是你知道你是猶太人。

不。我只是知道了某些事。總之，是我的祖先們在**乞討用的帶蓋盤子**中數算銅幣才讓我在人生中有了現在的地位。猶太人在所有人口中占百分之二在數學家中占百分之八十。如果這些數據比例再偏斜一點我們在談的就是一個完全不同的物種了。

這樣講不會有點牽強嗎？

不會。還不夠牽強呢。人們可以在同一棟屋子裡擁有各自不同的歷史。達爾文的問題仍未獲得解答。我們是如何獲得毫無歷史的心智能力？大腦是如何看似已為所有即將發生的事做好準備？真不知道。我們腦內的迴路有多少並未針對特定目標進行設定，純粹只是等待著新機會的到來？有這樣的迴路嗎？在市場上數算零錢怎麼能讓某人的**孫輩**準備好面對量子力學？或面對拓樸學？

孫輩？

你可以在前面加上「曾」。

不知道欸。我不確定有聽懂你的意思。我們何不把話題帶回你身上？

這就是我。

你個人的歷史。你在來到這裡之前在哪裡？

在交誼廳。

你覺得這樣回答很機智吧。

之前在義大利。等我哥哥死掉。
你在那裡待了多久？
兩個月。大概再久一點。
他們又等了兩個月才請你同意他們終止維生設備的運作？
不是。他們只是更堅持我該這麼做。
你會說義大利文嗎？
還可以。總之，或許那會是他想要的。我不知道。我只知道我做不到。我逃命似地跑了。
你心裡過得去嗎？
過不去啊。老天。
你抵達這裡時身上有不少錢。
沒那麼多。我哥哥和我因為我們爸爸那邊的奶奶繼承到一些錢。他把我的那份給我時我沒什麼真的想買的。所以我買了這把相當出色的阿瑪蒂小提琴。我認得那把樂器。我在兩本書裡看過當然也在佳士得目錄裡見過。這把小提琴上次是在一八六三年售出我想短期內應該不會再出現在市場上。
一把小提琴。
對。

我們在談的這把小提琴有多貴？

我付了比二十萬美金多一點的錢。

太驚人了。你繼承了多少錢？

我的部分大概比五十萬多一點。我認為買下那把小提琴是個好主意。不過我確實不敢把小提琴留在房裡出門。我以前會把小提琴藏在枕頭下。有一陣子我還真把錢藏在衣櫃裡的一個鞋盒中。

你繼承到的那筆錢是現金？

對。我哥哥發現時有要求我去租一個保險箱。

沒考慮過拿去投資？

我們繼承了這筆錢也沒有因此欠稅。可是我們無法證明這件事。那些錢是埋在我奶奶家的地下室。之後也是她跟我們說要去那裡找錢。但當然沒有任何文件可以說明這件事。

她把錢埋在地下室。

我們爺爺埋的。全是二十美金的金幣。一枚枚疊在長長的鉛管裡。

這可是個相當古怪的故事了。

人們總是會做古怪的事。

佳士得。你是在拍賣會上買下那把小提琴？

對。我透過貝因和富喜買下那把小提琴。那是一間芝加哥的琴商公司。他們當時還不算真正進入業界。但他們是我的代理人。

他們的庫存裡不可能有那種樂器。

不可能。他們根本沒有庫存。他們是一間全新的公司。

我可以理解你為什麼對此有疑慮。

克雷莫納小提琴一旦被偷走就永遠不可能回來。這是僅存少數幾件當中掉了就永遠找不到的樂器之一。我想過在上面塗漆。某種可以輕易去除也不會傷到最外層漆的水溶漆。可能就塗成金色吧。然後收進一個廉價琴盒。可是我想到蒯因[49]引用過的那句話。保存表面就是保存一切。總之我知道我做不到。

誰是蒯因？

一個哲學家。有人說是目前活著的哲學家中最偉大的。

你覺得呢？

或許吧。當然他自認了解數學啦。看來就是不肯放過數學呢。

但那是引用自他人的話，你剛剛這麼說。

49 威拉德・范奧曼・蒯因（Willard Van Orman Quine, 1908-2000），美國哲學家。

對。這句話寫在他其中一本書的標題頁上。

他有標記是引用自誰嗎？

有。宣偉公司。

那個塗料公司。

對。

你在開玩笑吧。

不。我可沒有。蒯因也沒有。嗯。或許是有一點。現在想想或許很有玩笑意味。

貝因和富喜。我有說對嗎？

對。去拿小提琴那天我是搭巴士回家。我爬上樓梯走進我的房間坐在床上把那把琴放在我的大腿上。我瞪著琴盒看。琴盒是德國製的。大概是十八世紀製作的吧。看起來卻幾乎是全新的。黑色小牛皮搭配德國銀扣。我用大拇指把每個銀扣逐一翻開後掀開琴盒蓋。我可以想起當時的每次呼吸。

可是你看過了吧。你在琴商那裡就看過了。

不。我沒有。他們把琴盒放在櫃檯上開始彈開那些銀扣時我阻止了他們。當然我看過許多照片。佳士得目錄裡的照片大概是拍得最好的。那些楓木紋路非常緊密且彎度滑順。背後由兩塊板子組成上頭對開的紋路幾乎完全對稱。可說非常不尋常。琴頸最外層的漆幾乎已完全脫落，其實可以直接摸到木頭的部分，雖然目錄沒有提及但我想可能是最一開始使用的木頭。我想那是我見過最美好的東西。

你沒見過就買了。

對。我用購物袋裝著錢到貝因和富喜公司。

搭巴士。

對。我把錢給他們後他們拿去後面的房間計算。他們完全不知道該拿那筆錢怎麼辦而且拍賣會還在五天後。你以為你可以用現金買到東西但顯然已經不再是那麼容易。他們不敢相信我竟然用購物袋裝著一百萬的三分之一到處跑。我跟他們說我只是選擇把錢藏在顯而易見的地方但他們似乎更迷惘了。

一百萬的三分之一。

嗯，其實就是三十萬。

佳士得覺得那把琴會賣到多少？

我不認為他們有明確的想法。那把樂器實在太過獨一無二。他們猜測至少會賣到二十萬美金可是我在貝因和富喜公司的代理人認為會更高。

可是你已經準備好要把三十萬全部丟出去。

對。我請他們直接去買下來。

那把琴會以符合它價值的價格賣出。就定義上來說。

對。

所以最後是賣了多少？

二十三萬。

拍賣會在哪裡舉行？紐約？

對。

你跟他們說你連看都不要先看一眼。

對。

我猜他們已經覺得你有點怪了。

我不知道他們怎麼想。他們因此拿到很不錯的佣金。剩下的錢他們本來試圖要開支票給我但我跟他們說只收現金。這是鮑比訂下的規矩。

他們怎麼說？

他們滿地打滾發出像是溺水的聲音還不停呼喊彼此的名字喔。

好啦。你不想先看小提琴是因為希望真正看見這把琴時身邊沒有別人。

對。

所以你帶著琴搭巴士回去。

對。到家後我坐在床上把琴盒放在大腿上掀開蓋子。裡頭的味道聞起來完全不像是來自一把有三百年歷史的小提琴。我撥了一下弦感覺弦意外緊繃。我把小提琴從盒子中取出後坐著調音。好想知道義大利人是從哪裡弄來烏木的材料。不但藉此做了弦軸。當然還有指板。跟尾板。我把弓拿出來。那是德國製的。上面有非常好的象牙鑲嵌。我把弓弦繃緊然後坐在那裡開始演奏巴哈的《夏康》舞曲。D小調？我不記得了。這是一把生猛、迷人的樂器。他是為他妻子做的啊她在他不在家時過世。可是我無法演奏完。

為什麼不行？

因為我開始哭。我開始哭而且停不下來。

為什麼哭？現在又為什麼哭？

我很抱歉。有太多原因無法告訴你。我記得輕輕把阿瑪蒂小提琴雲衫表面的淚水沾掉後放到一旁走進廁所往臉上潑水。可是淚水還是再次流下。我一直想到同樣的話：人類是多麼絕妙的作品啊。我止不住眼淚。我記得自己說：我們到底是什麼？我坐在床上抱著阿瑪蒂小提琴，那把琴美到不像真的。那是我見過最美的東西而我無法理解這種東西怎麼可能存在。

你想停在這裡嗎？

好。抱歉。

三

早安。最近如何？

好到不行。

我確定你是在亂開玩笑。你還好嗎？

還好。

上次見面的內容還有什麼你想再談談看嗎？

不用。你沒帶你的資料夾。

裡頭有什麼我基本上都知道。我想我們應該可以直接開始談。

好。

你想聊些什麼？

貝爾[50]的不平等定理。

什麼？

不然你決定吧。我無所謂。天氣吧。

跟我聊聊你的父親。

Eliza。

抱歉。聽說即便是開發這個程式的人也會註冊使用其中的治療療程？

我是這麼聽說的。

你的父親在你母親死後一陣子後過世了。

大概四年後。

久病之後。

久到沒命。

這話好像有點狠。

聽著。只要有人引用報紙訃聞裡的話我的反應都不會太好。

抱歉。我會試著記住這件事。你當時幾歲？

十五。

這次你有機會常看見他嗎？

沒有。他住在山裡的一間小屋。在俯瞰太浩湖的山上。

50　約翰・斯圖爾特・貝爾（John Stewart Bell, 1928-1990），英國物理學家。

你有跟他鬧翻嗎？

沒有。

他是曼哈頓計畫的其中一位物理學家。他有跟你談過這件事嗎？

大多是跟鮑比談。我們的對話開始變得像是國會聽證紀錄了。

或許你該想到什麼說什麼。

不。繼續吧。我猜你想知道他對建造炸彈這件事有沒有罪惡感。沒有。可是他死了。我哥哥也腦死了而我現在在瘋人院。

好吧。還有呢？

還有什麼啊。他是在戰後去廣島回報損害情況的那群科學家之一。我想他應該被眼前所見的一切澆了盆冷水。我實在無法為他代言。無論是誰建造了那顆炸彈都一定會使用那顆炸彈炸爛些什麼而我確信他寧願是我們建造成功而不是他們。無論最後所謂的他們是誰都一樣。關於杜魯門這項決定的爭論都環繞在一片受入侵的土地所遭受到的損失。我父親的看法卻不同。他認為要是日本在陸地入侵的戰役中落敗就不可能在戰後奇蹟似地重建成功。他認為日本這個國家都將因此遭到羞辱並進入漫長衰退期。而結果我們知道了，他們沒有在戰役中落敗。他們是因為巫術而落敗。

聽起來不會有點自我利益導向嗎？

你可以這樣說。事實可能也真是如此。

你認為真是如此？

我不知道。那就是個理論。由我父親發明且獨享的理論。我沒有任何政治立場。我打從骨子裡就是個和平主義者。只有國家可以發動戰爭——在現代來說是這樣——而我不喜歡國家。我相信逃跑是有意義的。就像你也會在巴士快撞上時跳開。如果我們有孩子我會把孩子帶到戰爭最不可能發生的地方。雖然我也知道要猜贏歷史走向很難。但你可以嘗試。不，我沒有，這是回答你的下一個問題。

你不怪你父親。

不怪。

你說要是我們有孩子。

如果我有孩子。

「我們」指的是你和誰？

不干你的事。

你不認為你父親在炸彈的事發生後多少有失眠嗎？

在炸彈的事發生前我父親就不太睡覺之後也一樣。我想大部分科學家都沒有太認真想之後會發生什麼事。他們只是享受在其中。他們針對曼哈頓計畫說的話都一樣。他們說他們這輩子從未如此愉快。不過只要有人不明白曼哈頓計畫其實是人類史上最重大的事件之一那一定是因為這人沒留心。這計畫就跟火和語言的發現同樣重要。至少也是名列第三名的大事件或甚至有可能是第一名。我們只是還不知道而已。但我們終究會知道。

你認為你父親沒有困在那個計畫的結果裡走不出來。

我認為他確實有被困住。這對他來說很不尋常。他無法對廣島事件後大家的各種糾結情緒表示出太多同理心。他比其他科學家的年紀更大。我想他們的平均年齡大概是二十六或二十七。我認為其中有幾位甚至還處於青春期。當他們成為所謂提倡和平的人時他只覺得他們都是偽君子。戰爭結束後他和泰勒[51]一起工作。他們一起引爆的炸彈足以將相當大範圍的已知世界夷為無法居住的廢墟。所有人都痛恨泰勒也痛恨我父親。太慘了。我不知道要怎麼跟你描述他的睡眠狀況。我自己也始終睡不好。而我可沒用炸彈炸任何人。

你在洛斯阿拉莫斯出生。

對。在節禮日那天。一九五一年。

節禮日？那是什麼？

耶誕節的隔天。

為什麼叫節禮日？

節禮日這名字的由來是那天你會把所有你收到卻不想要的爛禮物包裝好後送回店裡。

才不是這樣。

確實不是。傳統上那是人們交換禮物的日子。可能是一盒盒餅乾之類的。有名陸軍中士開著那種戰後留下的**灰綠色**轎車把我母親送到醫院。她身邊沒有任何人陪伴。她本來打算去田納西可是他們終究**不**答應她長途移動。

你父親在哪？

他在普洛維敦斯。就是羅德島上那個城市。

為什麼在那裡？

他和他的家人一起去玩吧？他去聽了庫爾特．哥德爾[52]在布朗大學的美國數學學會進行的吉布斯講座[53]。

沒有。

他**沒**跟你母親一起過耶誕節。

他們當時的關係算是疏遠嗎？

---

51 愛德華．泰勒（Edward Teller, 1908-2003），匈牙利裔美國猶太物理學家，被稱為「氫彈之父」，但本人並不喜歡這個稱號。

52 庫爾特．哥德爾（德語：Kurt Friedrich Gödel, 1906-1978），奧匈帝國的數學家。

53 喬賽亞．威拉德．吉布斯（Josiah Willard Gibbs, 1839-1903），美國科學家。

你得定義怎樣算是疏遠。我不完全這麼想。不過我也沒有近身觀察過。總之，我不覺得他去聽哥德爾的講座有什麼錯。換作是我也會去。就算哥德爾只是用單調的聲音把論文內容讀出來也一樣。那篇論文是以許多數學理論為基礎。基本上是一篇捍衛柏拉圖主義的論文。我不知道我父親對這個主題那麼有興趣不過他對哥德爾很有興趣。

你有讀過那篇論文嗎？

有。當然。

當然？

我幾乎讀了哥德爾的所有論文。還有大部分筆記。包括那些用加貝爾斯貝格方法寫的內容。

那是什麼？

那是哥德爾用的一種速記法。就跟他其他的奇特癖好一樣古怪。那種速記法用的是十九世紀的德文。或許是十八世紀吧，我不確定。

你花了多少時間學會？

比我本來可能預想的時間還要長。哥德爾很聰明，但在他的眾多特點中我想知道他為什麼是個數學的柏拉圖主義者。對我來說這個概念充滿邏輯不一致的問題。但話說回來我並不真正清楚哥德爾有多聰明。

我甚至不確定我懂那是什麼意思。就是你說的數學的柏拉圖主義者。

聽起來像什麼意思?現在都常說是現實主義了。這個主義據稱表達了數學實體獨立於人類心智存在的信仰。這個信仰對比較老的數學家來說很尋常但在我看來充滿漏洞。如果數學的物元獨立於人類思想存在那不就獨立於一切存在了啊?就連宇宙也行吧，我猜。我們總會在解決一個問題時不禁覺得自己是發現了一個原本就存在的解方。除此之外當其他數學家認同你的答案正確時更讓一切就經驗主義而言有了一定程度的依據。我是說如果確實正確的話。

我想這至少跟你對現實的整體性理解有些關係。

嗯。你可以花很多時間去把現實分類。還有它們之間的對應關係。但我們應該都不想踏上那條漫漫長路。

好吧。我對哥德爾所知不多。我知道他有一個著名理論指出數學無法解決所有自身提出的問題。反正大概是那個意思。

大概是那樣，沒錯。兩個不完備定理。一九三一年。

你同意那個理論嗎?

當然。他那篇解釋這些理論的論文實在太精采。內容無庸置疑。不過哥德爾在之後的年歲中從數學逐漸轉向哲學。然後瘋了。

有多瘋?

挺嚴重的。他不肯吃飯。覺得食物都被人下毒。死時體重大概只有三十公斤。奧本海默是當時ＩＡＳ的院長偶爾也會去醫院看他。有天醫生走進病房。他不知道哥德爾是誰——反正就是某個瘋癲的大學教授嘛——奧本海默要他好好照顧哥德爾因為他是亞里斯多德以來最偉大的邏輯學家。醫生點點頭並開始慢慢往門口移動此時奧本海默才意識到醫生正在想：老天，現在有兩個瘋子了。

關於他的那個理論。是真的有讓數學這門學問的正統地位蒙上陰影嗎？那個理論就是因此出名的嗎？

不是。一派胡言。這種說法的源頭很可能是馮紐曼。他有出席哥德爾在維也納學派的發表會而在哥德爾朗讀完他的論文後馮紐曼說：一切都完了。

馮紐曼這麼說。

對。

但其實不是這樣。

不。不是這樣。欸，確實有些什麼結束了。尤其是一九〇〇年以來由希爾伯特提出的幾個議題。

馮紐曼是有名的數學家。

這件事發生在他出名之前。但他確實非常想出名。他之所以說出那句評語就是想讓大家覺得他已經聽懂了那篇論文。

但是那句評語……怎麼說？不正確？

他應該也不是唯一認為數學本身受到挑戰的人。但有時你得花點時間釐清狀況。數學本來就一直受到挑戰。那就是數學存在的目的。有些很優秀的數學家已經放棄這門學科。人數甚至比最後淪落到瘋人院的人還多。

為什麼會這樣？

我以為那就是我們在這裡的原因。

你放棄數學了。

對。嗯，或許還沒放棄那個造就出之後所有問題的問題吧。那個不可能消失的問題。

也就是？

最根本性的問題。怎麼處理弗雷格[54]難題。Grundlagen[55]。一切的開始與結束。我們在做什麼又要如何去得知。一種啟發。有什麼東西其實是知道答案的嗎？這有可能嗎？那個東西如果真的知道那我們必須怎麼改變才能讓它告訴我們所需的答案？朗蘭茲綱領[56]。那些永遠不會讓我獲得

54 弗里德里希・路德維希・戈特洛布・弗雷格（Friedrich Ludwig Gottlob Frege, 1848-1925）是德國數學家。

55 德語：原理。

56 勞勃・朗蘭茲（Robert Langlands, 1936-）出生於加拿大，數學家，目前任職於普林斯頓高等研究院。

所需答案的東西。

原來如此。

我不認為你明白。數學說到底是種基於信仰的倡議行動。而信仰這種東西並不穩固。

我不確定我有聽懂。這裡的數學算什麼？某種精神性事業？

我只是沒有其他稱呼的方式。我曾有很長一段時間認為跟數學有關的基本真相勢必是超越數字的。說到底這整個東拼西湊的體系都搖搖欲墜。就算再美麗也一樣。數學的法則本應源自邏輯規則。然而任何邏輯規則的論證都預設邏輯規則存在。我想可能讓人們想將數學與精神層面類比的一個原因在於明白到最偉大的精神啟示似乎都源自那些在黑暗中蹣跚前進之人給出的證詞。

我不明白數學的基本真相怎麼可能超越數字。

就是說啊。

但你還是哥德爾的追隨者。

對。狂熱追隨者。我同意奧本海默的看法。

你心目中的英雄大多是數學家嗎？

對。或是英雌。

你還崇拜誰？

那個名單很長。

好。

康托爾、高斯[57]、黎曼、尤拉。希爾伯特。龐加萊。諾特[58]。希帕提亞[59]。克萊因[60]、閔考斯基[61]、圖靈[62]、馮紐曼。這還只是名單的一小部分而已。柯西[63]、李[64]、戴德金、布勞威爾[65]。布爾[66]。皮亞諾[67]。邱奇[68]還在世。哈密頓[69]、拉普拉斯[70]、拉格朗日[71]。這三位當然是比較古早時代

---

57 卡爾・弗瑞德呂希・高斯（Carl Friedrich Gauss, 1777-1855），德國數學家。

58 埃米・諾特（Emmy Noether, 1882-1935），德國數學家。

59 希帕提亞（Hypatia，出生於大約350年－370年之間，死於415年）是生活在東羅馬帝國統治下的埃及的哲學家。

60 費利克斯・克萊因（Felix Klein, 1849-1925），德國數學家。

61 赫爾曼・閔考斯基（Hermann Minkowski, 1864-1909），德國數學家。

62 艾倫・麥席森・圖靈（Alan Mathison Turing, 1912-1954），英國科學家。

63 奧古斯丁—路易・柯西（Augustin-Louis Cauchy, 1789-1857），法國數學家。

64 索菲斯・李（Sophus Lie, 1842-1899），挪威數學家。

65 勒伊岑・艾赫貝特斯・揚・布勞威爾（Luitzen Egbertus Jan Brouwer），挪威數學家。

66 喬治・布爾（George Boole, 1815-1864），英格蘭數學家。

67 朱塞佩・皮亞諾（Giuseppe Peano, 1858-1932），義大利數學家。

68 阿隆佐・邱奇（Alonzo Church, 1903-1995），美國數學家。

69 威廉・哈密頓（Sir William Rowan Hamilton, 1805-1865），愛爾蘭數學家、物理學家兼天文學家。

70 皮耶—西蒙・拉普拉斯（Pierre-Simon, Marquis de Laplace, 1749-1827），法國數學家兼天文學家。

71 約瑟夫・拉格朗日（Joseph-Louis Lagrange, 1736-1813），義大利裔法國數學家、天文學家兼力學家。

的前輩。你看著這些名字還有他們代表的成果就會意識到相較之下當今的文學及哲學編年史內容貧瘠到難以言喻。

我對這些名字一點也不熟悉。

我知道。

其中有任何女性嗎？

埃米．諾特。她是偉大的數學家。最偉大的其中一位。數學物理學的奠基者之一。另外還有其他人。我說女人。不過當然目前都還沒女人獲得菲爾茲獎。

那個獎代表數學界的最高榮譽。

對。

我很驚訝你的朋友格羅滕迪克沒在你的名單上。你忘記他了嗎？

我**沒**有忘記格羅滕迪克。剛剛我提到的人都死了。

那是要成為偉人的必要條件嗎？

這裡的必要條件是不會在明天早上醒來時說出一些不可思議的蠢話。你問為什麼格羅滕迪克離開數學界。人們相信他離開數學界代表他已經發瘋的想法乍看是很迷人，但大概不能說完全正確。他的情況顯然是就算重寫了過去半世紀以來的大半數學史卻還是不太能緩解自身抱持的懷疑主義。維根斯坦很愛說沒什麼可以是自身的解釋。我不確定這跟事物說到底並不包含自身訊息的說法相差有多少。但很可能你真的必須站在外頭往裡頭看。你可以問所謂的「描述」到底是什麼意思。除了透過結構之外還有描述一個立方體的更好方式嗎？我**不**知道。我們在談論一個屬性時除了說它和某些事物相似並和其他事物不相似之外還能說什麼？顏色。形式。重量。一旦我們面對的是獨一無二的存在時你就會看出問題了。不需要是什麼像時間或空間一樣宏大的事物。可以是非常日常的東西。像是音樂的組成。有音樂的物元存在嗎？音樂是由音符組成的吧？這樣說對嗎？數學的複雜性已經從對物體及事件的描述轉移到抽象運算子的力量上。要到什麼階段系統的起源才不再跟我們對系統的描述、及其運作的方式相關呢？無論多麼傾向於相信柏拉圖主義，沒有人會真正相信數字是維持宇宙運作的必要元素。數字只是很好討論而已。對吧？

我**不**知道。

數學之所以有效——有人會這麼論證——是因為你已經走投無路了。你**無**法將數學數學化。

你看起來不太相信。

抱歉。

就連極為原始的動物也懂基本計算。牠們理解三大於二。怎麼可能**不**懂那是什麼意思？我也一樣。你向我問起格羅滕迪克。他想出的拓樸斯理論基本上是一鍋混合了拓樸學及代數學及數學邏輯的巫婆湯。這個理論甚至**沒**有一個清晰的身分定位。這個理論的效力至今仍然啟人疑竇。但不是毫無效力。你可以隱約意識到這個理論懷抱著一些答案安靜地等待有人問出那些問題。

聽起來是有點柏拉圖主義。

可不是嗎？我們的物種已創造出一個我們尚未發現的事物的這個全新願景真是令人振奮卻又不快。對了小子以為狄拉克的名字是潘蜜拉。

潘蜜拉？

他以前偶爾簽名會寫PAM．狄拉克。PAM是保羅．阿德里安．莫里斯的縮寫。總之，這些人就是我生命中擁有的夥伴。沒其他人了。

你看起來很傷心。說剛剛那句話的時候。

確實很傷心。

一切都跟智力有關。

對。而且同樣的，當你談起智力時你在談的是數字。這種說法會讓那些不懂數學的人聽了皺眉。智力跟計算及計算的本質有關。語文智力只能幫助你到一定的程度。然後就會出現一堵牆，如果你不理解數字你甚至連牆都看不見。而且你會覺得牆對面的人很怪。你永遠不會理解他們對你付出的寬容。他們會基於天性對你表示友好——或不友好。當然有人可能又會說智力是邪惡的基本元素之一。你愈笨就愈沒有能耐造成傷害。或許笨拙及粗心導致的結果除外啦。代表蠢貨的cretin這個字來自代表基督徒的法文chrétien。據說以前如果想不出好話來描述一個笨蛋就會說對方是個好基督徒。另一方面來說「如同惡魔一般」幾乎與「足智多謀」同義。撒旦在花園裡兜售的是智慧。

你指的是數學中的美。

對。

那也是用來描述數學的一種方式嗎？是美讓數學變成真理？

深奧的數學方程式通常會被說很美。馬克士威[72]說的吧我猜。那是在說如果你無視向量位勢E和B代替掉A的狀況。如果你深入研究最小作用量原理你很可能會陷入一種嚴肅的沉默。

方程式本身是美的嗎？

如果你不懂它們的意思就不美。

$E=mc^2$是美麗的東西嗎？

你該看這個方程式有顏色的版本。

話題推進。

那就推進。

你父親是個正派的人嗎？

我想是的。他很關愛我。

---

72 詹姆士．克拉克．馬克士威（James Clerk Maxwell, 1831-1879），英國蘇格蘭物理學家。

他真的有參與製作那顆丟在廣島的炸彈。

對。我母親也有。

在橡樹嶺。你母親。

對。Y-12工廠。

但她並不真的清楚自己在做什麼。

應該不知道。她每天花八小時坐在一個儀表前面。大家都不能說話。廣島的事發生隔天他們知道了。不過當時就算有人對他們進行的戰爭工作抱持負面看法我也沒聽說。我想他們滿引以為傲的。但如果你認為這件事有任何一丁點可能跟愛德華時代的侏儒們凌晨兩點在我的臥房跳查爾斯頓舞有關的話我很樂意聽聽你的說明。

或許我們該推進話題。

好。

這樣可以嗎？

當然。你又一臉半信半疑了。她說的到底是什麼意思？她在隱藏什麼？要是她的情況比我想的更糟怎麼辦？

有嗎？

是說有更糟嗎？

對。

可能吧。我們一直繞回來聊我的父親。倒不是我不明白這裡的問題所在。但或許我們該暫時擱置這話題。他已經死了而我很希望他沒死。

你的家人在瓦爾特堡住了多久？

自從一九四三年開始。我們因為那個計畫[73]被趕出自己的農場。

橡樹嶺計畫。

對。我們的農場就在田納西的克林頓城外。在克林奇河流域。我們自從內戰時期就在那裡了。

所以你不可能見過那座農場。

等我來到這世上時那座農場已經在湖底了。我奶奶以前會談起那座農場。那棟房子是老式的梁柱結構。地板是用溪流驅動的鋸木廠鋸出的胡桃木板蓋成而且她說在起居廳——她是這樣稱呼的——有用到一公尺這麼寬的板材。

所以農場發生了什麼事？

被美國政府充公。被推土機夷為平地。就為了建造用來濃縮核燃料的廠房。

這讓你痛苦。

73　曼哈頓計畫（Manhattan Project）是二戰期間研發出人類史上第一顆核彈的計畫。橡樹嶺是為此計畫打造的城鎮。

我想是吧。曾是如此沒錯。我以前會想像自己住在裡面的樣子。那棟房子是我曾祖父蓋的。我見過房子的照片喔真的挺美的。他們以前沒蓋過房子。我不確定他們甚至有沒有見過別人蓋房子。說不定他們本來以為自己可以預見八十年後的未來樣貌？畢竟八十年也不算太久之後的事。但到頭來所有最簡單的作為都是奠基於一個毫無保障的未來。

你說曼哈頓計畫是一個歷史性事件。有可能用任何其他觀點來詮釋嗎？我們已經很久沒有核戰了。

好。嗯，這大概就跟任何種類的破產一樣。拖得愈久情況就會愈糟。畢竟對上一場大戰有記憶的人死光之前下一場大戰不會到來。

你認為核戰無法避免。

柏拉圖認為只有死人見過戰爭的終結而我同意他的觀點。此外人們在有槍時不會用石頭打仗。反正大概就是這類說法。

我們活在一個蠢貨的樂園裡。

我不知道我們活在什麼樣的世界裡。

好吧。來談家族史。我想你母親是在那棟屋子裡長大的。

對。她是。

可是我問起這件事時你說的卻是你奶奶的回憶。

戰爭影響到鎮上時我母親正在讀高中。她可能以為世界末日要來了。不知道欸。我奶奶以前總是沉浸在回憶中，而我母親以前總是在哭。所有近期的歷史事件都跟死亡有關。每當看著十九世紀末期拍的那些照片我腦中想的都是那些人已經死了。就算再稍微往前追溯一點所有人也都死了但無所謂。那些死者對我們來說比較沒那麼重要。可是那些照片中的棕色人像卻不太一樣。他們就連微笑都充滿憂傷。而且滿是悔恨。還帶著控訴。

你不覺得這只是因為你比較多愁善感嗎？

不覺得。

你父親不是被你的家人當作這場戲裡的壞人嗎？

是。當然。我奶奶在我母親去Y-12大樓工作時嚇壞了。她不知道那裡是在做什麼可是認定有在幹好事的機會趨近於零。可是那裡給的薪水是方圓五百英里內最好的。其實根本是唯一有在給薪水的地方。我母親一從高中畢業就在一間車來速餐廳擔任服務生。她真的很聰明本來應該要上大學才對可是真的沒有錢。她本來以為可以透過州立選美比賽拿到一筆獎學金可是最後只拿了第三名。整件事都很令人尷尬因為所有人都知道結果有內定。她為第一名感到難過因為她獲得的祝賀中沒有絲毫真心而且還嘗試跟她當朋友但結果也不順利。我母親是個所有科目都拿A的好學生還是他們班上的畢業致詞代表可是最後卻在田納西小姐比賽中拿到第三名。剛好沒辦法拿到獎學金。所以就這樣了。她跟我說田納西東部就業辦公室位於一間夾板小屋內而當她凌晨五點摸黑抵達時排隊的人龍已經跟足球場一樣長而且所有人都踩在及踝的泥巴中。可是她拿到了那份工作。

工作內容是什麼？

她是calutron[74]女孩。

什麼是calutron？

你想知道多少？

我不知道。想到什麼就說什麼吧。

好吧。建造一顆鈾彈首先必須將在大自然中發現的U-238和U-235分開。在數千磅的天然鈾中只有大概七磅重的U-235，所以得開始進行很多挖挖鏟鏟的工作啦。將兩者分離的方式有很多——比如濃縮，他們很喜歡這樣說——而電磁系統並不是最好的方法，只是最先採用的方法。同位素分離器是由E．O．勞倫斯[75]發明的那基本上就是個巨型光譜儀並透過一系列設備來濃縮鈾。Calutron中的cal是加州的縮寫。Tron源自希臘文。Tron是一種測量用的尺規，或可能是一種器具。鈾一開始跟氯結合成四氯化鈾並在離子化後再被一系列電磁鐵驅策後在一個他們稱為**賽道**的東西上繞圈。這個賽道有超過一百英尺長而磁鐵有二十英尺高。你得想的遠一點。因為戰爭的關係他們找不到足夠的銅來製造磁鐵、導體所需的線圈，所以他們去美國財政部借了十四噸的銀再用卡車運回來使用。

借來的。

借來的。戰爭結束後有還回去。他們最開始設計的賽道，也就是Alpha賽道，由於效益實在不彰所以他們把生產出的材料再次用新設計的Beta賽道跑過後獲得了武器級的成果。其實Beta沒有那麼不同。尺寸甚至比較小——大概是Alpha尺寸的一半，其中配有十英尺高的磁鐵。Calutron本身被側向插入賽道而搜集器會被定期取下清空。當然讓整個系統得以運作的原因是U-238比U-235多了三顆中子的重量所以會以比較大的弧線在磁場上移動。

這是當然。

天哪。

抱歉。請繼續。

你確定？

對。請。

最後有九棟巨大的建築用來裝置這些設備。據我所知那些東西現在可能還在那裡。那些建築看起來像龐大的鞋工廠。其中包括五條Alpha賽道和四條Beta賽道。總共有一千一百五十二座

74 為了搭配作者本書及相關小說《乘客》的寫作風格，本文會留下一些非英語、英語縮寫或意思不明確的英文原文，此處即為一例，若將calutron直接翻為中文是「電磁型同位素分離器」。

75 歐內斯特・奧蘭多・勞倫斯（Ernest Orlando Lawrence, 1901-1958），美國物理學家。

calutron。建築物裡不能說話。所有女孩沿著長長的走道坐在凳子上監控那些指針並調整旋鈕以確保**射束電流**的最大化。那是一個緩慢的過程。那顆用來夷平廣島的小男孩原子彈中的U-235是透過身著商務套裝的軍官在手提包裡一次裝著幾磅U-235搭火車慢慢運送過去。等累積到六十四公斤時就夠了。

他**不**會受到放射線影響嗎？那個穿套裝的傢伙。

不會。

你可以用這種簡潔明瞭的方式解釋拓樸學嗎？

你不是在開我玩笑吧？

不。我不是。

我**不**覺得有辦法。電磁分離過程是一種非常簡單的機械運作。你可以跟一個十歲孩童解釋都沒問題。但拓樸學是一種討論形狀的數學。我可以說「龐加萊猜想」是跟看似非球形空間與生俱來的球形本質有關。幾乎可說是如此。但那甚至可能不算是個好例子。尤其要是那個猜想本身就是錯的話。嗯。對龐加萊來說那甚至**不**是個猜想。更像是個疑問。

你覺得那個猜想是錯的嗎？

不。但或許很難證明。

你父親是在前往Y-12進行視察時遇見你母親。

對。他塞了一張紙條給她。

要她打電話給他。

對。

她有打嗎？

沒有。他兩天後回來遞給她一張筆記紙和一支鉛筆她看了一下後寫下自己的電話號碼。還有她的名字。她留的其實只是宿舍大廳的電話。可是隔天他就打電話給她。

然後。

然後我就在這裡了。

勞倫斯是發明迴旋加速器的人。

對。他以前會來 **Y-12** 工廠坐著把其中一台 **calutron** 的增益調到最高好讓大家看看這台機器還有多少潛在產能然後起身離開。大概不到五分鐘後整台設備就會開始冒火。我父親說勞倫斯在柏克萊打造迴旋加速器時會把銅製大開關拉開而整個場景會像是《科學怪人》的電影一樣。一波波火舌在實驗室中跳躍最終導致整座校園陷入黑暗。他們把橡樹嶺稱為鄉下狗地方。引用的是《亞比那奇遇記》[76]漫畫的內容。戰爭快結束時 **K-25** 大樓的氣體擴散廠已經設置好並開始運作此時他

76 《亞比那奇遇記》（*Li'l Abner*）是美國漫畫家阿爾卡普（Al Capp）在一九三四年開始創作的作品。

們關閉了Alpha賽道但仍把從K-25產出的一切投入Beta機器運轉。

你母親做了多久？

兩年。快兩年。

她遇見你父親時幾歲？

十九歲。我想。或許二十吧。

那他呢？

三十出頭。我甚至不確定他是在哪一年出生。他不太願意分享自己的前半段人生。他之前結過婚。鮑比發現的。

你母親知道嗎？

不知道。如果她知道就不會跟他結婚了。

他的第一段婚姻沒有孩子。

有個小男孩。大概四歲時死於小兒痲痺。我常想到他。

你常想到他？

對。他是我哥哥。

你父母何時離婚？

我有去見她。她不是很高興。

什麼？

我有去見她。他的第一任妻子。她住在加州。

她見到你時驚訝嗎？

我想**沒**有。她聽過我的傳言所以覺得我遲早會出現。

這是你父親死後的事。

對。

她說了什麼？

她說：嗯。看來你最近過得還不錯。她本人也滿有魅力的。

還有呢？

沒什麼了。她只說重點。我哥哥的名字是亞倫。

她是猶太人。

對。

他偏愛猶太女性。我說你父親。

他一開始**不**知道我母親是猶太人。

她是物理學家嗎？我說他的第一任妻子。

不是。她是醫生。心臟科醫生。可是在實驗室工作。我**不**知道我父親離婚的原因。

兩次。

兩次。對。兩次都不是她們提的。

你說不是那兩位妻子提的。

兩位妻子。對。

我可以問他算是個玩弄女人的傢伙嗎？

不知道欸。但我也沒辦法說他不是。你有香菸嗎？

有。在提包裡。我找找看。拿去。

謝謝你。

我有帶打火機可是沒想到要帶菸灰缸。

我可以用玻璃杯。

好。你父母會吵架嗎？

不會。婚姻快結束的那段時間他其實不太常在家。他花很多時間在南太平洋把東西炸爛。

這話聽起來是在批評他。

不是批評。男孩子就是愛炸東西。

你是認真的。

對。

他們分開時你幾歲？

不知道欸。我想那是個逐漸發生的過程。

還發生了什麼事？他們倆都沒再婚。

沒有。我想他們愛著彼此。只是維持婚姻變得愈來愈困難。她變得緊張兮兮。菸抽得很快。當然這也有可能只是她捏造出來的假象。畢竟她是個邪惡的小婊子。

這又是在酸我啦我猜。捏造出來的假象。

不重要啦。要說還發生什麼就是我母親出現那個年代稱為精神崩潰的狀況。精神崩潰。

用當時的話是這樣說。她被送進醫院。好幾次。我們去跟奶奶一起住。沒人跟我們討論過。

你當時幾歲？

四歲。我已經開始在諾克斯維爾的聖瑪莉上小學但我根本還沒滿六歲。不過我第一週結束後就成為班上表現最好的人所以大家都閉嘴了。

如果沒有人跟你們討論你怎麼知道發生了什麼事？

要從蛛絲馬跡中猜出來並不難。我記得我母親毫無意識地躺在餐廳地板上而就在我不知如何是好時鮑比開始哭所以我也跟著哭，不過我也不確定自己有什麼感受。

鮑比開始哭？

對。

他幾歲？

他當時應該已經十歲了。

這是發生在洛斯阿拉莫斯的事。

對。

你覺得她情緒問題的根本原因是什麼？

我不知道。在她被診斷出癌症之後其他症狀就消失了。然後她死了。

你有問過她嗎？

問過一次。她否認我說的一切。幾乎是全部。

我以為應該很難否認。

你之前說你在這行待了多久？

好啦。你有跟你哥談過這件事嗎？

有。

他怎麼說？

他說她精神崩潰了。我猜你是想找出一種尚未獲得明確辨識甚至可能不存在的疾病的基因遺傳傾向。

說不定我只是想了解你對家人的感受。

我可以把這放在哪裡？

你才抽了幾口。

我知道。

給我吧。我意識到這些脫離常軌的體驗大概是在你母親過世後開始出現的。你們很親近嗎？

我們處得不差。可是她因為聽了醫生的話所以直到進入棺材前的最後一刻都還相信她的女兒瘋了。

這讓你痛苦嗎？

沒錯。這讓我痛苦。而且在她死後更嚴重。我開始可以理解她之前的人生是怎麼回事並為此感到難受。我需要奶奶的支持但**沒**有真正考慮到我的存在其實完全不符合她當時的需求。我**沒**有考慮到她才剛失去女兒。在她死後沒多久我做了一個跟她有關的夢。我說我母親。她在夢裡死了而且被一群人放在船裡扛上肩頭走在街上。船上堆滿花朵而且現場還有音樂。幾乎像是樂團演奏的音樂。有人在吹奏小喇叭。整個送葬隊伍從街角轉過來時我可以看見她在那些花朵中的臉蒼白如同一張面具。然後走過來的人一一經過我身邊。然後他們繼續經過。然後我醒來。

你知道那個夢是什麼意思嗎？

不知。

你還好嗎？

沒事。我還好。

你沒有再做過那個夢。

沒有。

你會反覆做一樣的夢嗎？

會。我猜有時我們的無意識會不停處理特定幾個夢境，還修改這些夢境，就希望你能理解其中意涵。不過那不是其中的有趣之處。

有趣之處是什麼？

有趣之處在於夢境知道你還**沒**搞懂。它其實**沒**有任何憑據啊。難道是有讀心術嗎？有時夢境就是會一次又一次嘗試訴說同一個故事。像是卡住一樣。無處可去。我那個反覆出現的夢境也很不尋常——前所未聞，真的——因為做夢者不在夢中。

你做的每個夢都有你嗎？

對。

你認為人們**不**會做沒有他們自己的夢。

人們會對其他人感興趣。可是你的無意識不會。或是只有在其他人有可能直接影響到你時才有興趣。你的無意識是要用來執行非常特定的工作。它從來不會入睡。而且比神還忠誠。

那個夢的內容是什麼？

我憑什麼要告訴你？

你在開玩笑吧。

可能是。也可能不是。

你有跟任何人說過嗎？

沒有。

所以你和我會是世上唯一知道這個無意識故事的人。

你自從寶寶出生之後就一直很貼心呢。

什麼？

抱歉。這是我哥哥一個朋友喜歡的說法。我甚至不太確定是什麼意思。沒關係。那個夢當中沒有任何與我有關的祕密。又或者說我不認為其中有。那就是個夢而已。其中有些命定般的話語。其實更像是個老寓言。或者甚至可以說是一段古老的歷史。總之是某種事物重覆[77]

但你不在其中。

不在。不過我可能是那個好幾代後在家族耆老身邊一起伴著火堆將重建回憶工作拼湊起來的

77 此處原文為「Repeated ad something」，其中的「ad something」應該是改寫自「ad infinitum」（無限）。

作夢者。

你相信集體無意識嗎？

如果這概念沒成為榮格醫生的私產我可能會更覺得有可信度。

或許我們該談那個夢了。

我還沒說要告訴你。

你知道你會說的。

好。有個本來在進行洗滌工作的女人抬起頭並立刻理解她們所關愛所培育的一切都已化為烏有。她們在那一瞬間已沒有過去也沒有未來。她們教育孩子的一切已從世上遭到刪除沒留下絲毫痕跡現在的她們已是寡婦和奴隸。她們的眼前是一支不知從哪集結起來的騎兵列隊站在俯瞰村莊的山丘上。這些騎兵們身著皮衣馬匹則套著塗有圓形幾何圖樣但因塵土顯得灰撲撲的生皮盾。村裡的男人從小屋拿著斧頭和長矛跑出來但很快就會倒在他們流出的血泊中而女人會被強暴村莊則會被點火燃燒然後她們會被人當成牲口一樣套上軛一邊啼哭一邊流著血一起往前走向一個她們從未見過、也從未想像過的國度。

以夢來說這個場景似乎很詳細。

你在反覆做同一個夢時會持續得知更多細節。

所以你覺得這個夢是什麼意思？

我不知道是什麼意思。我一直覺得其中一個女人是我母親。

可是你自己並不在夢裡。

不在。

還有呢？

當然除非我是在我母親肚子裡啦。之前沒想過這個可能性。還有什麼呢？我不知道。我從來沒跟任何人提起這個夢。

你覺得這跟你讀過的什麼有關嗎？

你上次夢到你讀過的內容是什麼時候？

你不覺得會發生這種事。

不覺得。你呢？

不知道。我得想想。你還記得他們第一次帶你去看醫生的場景嗎？

因為發瘋嗎？

對。

記得。他們把我帶去諾克斯維爾。我當時四歲。

四歲時發瘋。

是個很嚴重的案例。他們把我帶去看眼科醫生。我有斜視問題。

他們不是因為你發瘋而把你帶去看眼科醫生吧。

不是。是眼科醫生跟他們說我瘋了。他們認為我很怪但從沒想過要去找醫生確認。或許他們是怕沒辦法再把我帶回家。又或是怕發現有問題卻還是得把我帶回家。總之，我從那時候開始了到處看精神科醫生的生活。

你對那天還有什麼記憶？

像是什麼？

就是大概有什麼印象。

大概。

對。

好吧。我大概七點起床下樓在廚房的我奶奶給了我一杯橘子汁然後要我上樓去把我媽叫醒。

你怎麼知道那是七點？

我有看廚房的時鐘。

你會看時間。

對。

四歲的時候。

對。

繼續說。

我穿著上面有狗狗圖案的睡衣上樓叫醒我媽她問我幾點我告訴她然後我下樓走到廚房**愛倫奶奶**把我放到我的椅子上。

愛倫奶奶就是你之前說的奶奶。

對。她正在準備早餐一旁的收音機開著我可以看見窗外。我可以看見**愛倫奶奶**的車子停在車道上。那台藍色的車她剛買沒多久。我想那是她人生中擁有的第二台車而已。當時是**冬天**爐子裡有火外頭的樹木一片光禿禿乳牛已經聚集到車道尾端的籬笆邊而溪流邊的灰敗樹木看來死氣沉沉。我吃了一碗玉米片我母親下樓喝了點咖啡然後帶我上樓幫我換好衣服。我穿著綠色燈心絨的長吊帶裙和綠色毛衣還有我的鸚鵡學舌牌扣帶鞋。我們大概在快八點時出發前往諾克斯維爾。

好。我大概是明白了。你何**不**直接告訴我醫生說了什麼。

他說嗨你叫什麼名字？

你現在說的是驗光師。

是眼科醫生。我覺得他這樣問有點怪因為我們畢竟**不**是隨機走進街邊一間診所。我母親可是有打電話來預約看診。所以我知道這一切打從一開始就是場徹頭徹尾的騙局但我還是跟他說了我的名字然後說不然他以為會見到誰。

他怎麼說？

什麼都沒說。沒有人會認真聽四歲小孩說話。他看著我母親微笑但卻是那種不太對勁的微笑而我只希望可以天殺的離開那裡。

因為你母親有預約看診所以你覺得他應該知道你的名字。對。

而他覺得你有些不尋常的地方。

嗯。我們的對話氣氛愈來愈糟。但沒錯。他覺得我有些毛病。

那是你第一次意識到這件事嗎？

不是。那是第一次有人對我母親這樣說。

他跟她說了什麼？

我不知道。總之不是什麼好話。

你母親後來有說什麼嗎？

她說我對醫生很沒禮貌。是在我們上車後說的。她以前就會說我需要去檢查一下腦子。可是那只是我們家的一種說法。那句話真正的意思是我不同意你。可是這次她說我們真的要去囉。就是去做檢查。她很沮喪。

因為你對醫生很沒禮貌？

她覺得他講得很有一回事。我不知道為什麼。他就是個該死的眼科醫生而已。可是我們離開後我可以看出她很擔心。主要是擔心她自己，我猜。我想她可以想像自己被一個又瞎又瘋的孩子拖累的樣子。

這些都是你當時自己想出來的？

大部分是。當然你會用比較老成的心智去回想這一切。可是基本的想法不變。記憶帶有實質的內容。不是一片虛空。

她把你帶去看精神科醫生。

其實是一個心理學家。

然後發生了什麼事？

沒發生什麼事。我才四歲。你很難為一個四歲孩童確診是否有精神障礙。

那段時期對你來說很難熬嗎？

不會。但對他們來說很難熬。我愛我的奶奶。我以前早上會坐在廚房裡陪她做比斯吉麵包。她會用大理石**擀麵棍**把麵團擀平而我就坐在旁邊畫畫著色。我愛冬天。冬天時屋外的地面會有積雪屋內的爐子也會生火。

這段時間你父親在哪？

我父親忙著在南太平洋把東西炸爛。

你被超過一位分析人員診斷為自閉症。那是大家還沒有深入理解自閉症的年代。嗯，應該說完全不理解。當然啦畢竟當時還沒有深入的研究。

當然。如果你有個病患擁有的症狀你不理解那何不歸因於沒有人理解的一種障礙呢？自閉症[78]發生在男性的情況比女性多。男性同樣也可能有較強烈的數學直覺。於是我們心想：這是怎麼回事？不知。造就差異的關鍵為何？不知。我能告訴你的只有我喜歡數字。我喜歡數字的形狀顏色氣味還有嘗起來的味道。而且我不會別人說什麼我就信什麼。我父親在我母親人生的最後幾個月終於有陪在我們身邊。他在屋子後方的燃料房內有間書房。牆上有個切開方形大洞他於是裝上窗戶好讓自己可以往外望向那些田野以及更遠的溪流。他的書桌是把一扇門擺在鋸木架上另外還有一座裡頭塞滿馬毛的老舊皮沙發。那座沙發表面因為乾裂而有馬毛突出但他只是用一條毯子蓋住。我有一天進去坐在他的書桌前看著他正在處理的問題。我當時已經懂一些數學了。其實懂不少啦，嗯。我嘗試搞懂那篇論文可是實在太難了。我好愛那些方程式。我愛那個用來求和的巨大的sigma符號。我愛那些逐漸展開的敘事。我父親走進來發現我在裡面時我以為我有麻煩了所以嚇得跳起來可是他牽起我的手把我帶回椅子邊要我坐好然後跟我一起讀論文。他的解釋非常清楚。簡潔。可是也不僅只是如此。那些解釋中充滿隱喻。他畫了幾個費曼圖我覺得很酷。這些圖表描繪出他嘗試向我解釋的次原子粒子世界。那些碰撞。那些加權路徑。我能了解——真的了解——那些方程式不只是一種假設而這種形式擁有的生命也不只是困陷在這些紙面上用來描述方程式的符號之中而是真正在我眼前。這些方程式的生命實際存在。這些方程式就在紙面上、在墨水中，在我之內。它們就是宇宙。它們的不可見永遠不可能用來反駁它們或它們的存在。還有它們存在的年歲。那些年歲同時也是現實本身的年歲。而現實本身同樣不可見且始終如此。他從未放開我的手。

你還好嗎？

沒事。我很抱歉。

想再來根菸嗎？

不想。我甚至不喜歡抽菸。我們就此打住吧。

好吧。可以問你一件事嗎？

當然。

不如談談跟你哥有關的一些回憶。

我哥。

對。

喔天哪。好吧。就談在北卡羅來納的海灘房屋那次。我一早醒來去他的房間時他已經出門我泡好一整瓶保溫瓶的茶走進黑暗中的沙灘上而他就坐在沙子上於是我們一邊喝茶一邊等著太陽升

78　Autism在當今的正式完整名稱應該是自閉症類群障礙，只是故事的背景是一九六〇年代，因此只用原本的簡化翻譯。

起。我們像是透過一副深色眼鏡看著太陽變紅並從海面上彷彿滴著水一般緩緩升起。我們前一晚在沙灘上散步當時有一顆月亮還有一顆假月亮乘坐在月亮外圍的光暈上我們聊著幻月然後我說了一些話意思大概是把這類完全只由光線組成的事物說成充滿問題或根本看錯或甚至有認知上的錯誤或當成可疑現實的做法對我來說總是一種背叛。他看著我然後說背叛嗎？我說對。由光線組成的事物啊。需要我們的保護。然後到了早上我們坐在沙子上喝著茶望著太陽升起。

四

早安。

早安。

你過得如何？看起來有點悶悶不樂。

悶悶不樂。

需要的東西都有吧？

可以問得明確一點嗎？

抱歉。我猜我只是想問你是否過得還算舒適。或許有什麼我能幫上忙的地方。

我們何**不**直接開始吧。

我不只是出於禮貌詢問而已。

好吧。不如來張**乒乓球桌**的網子？

你打乒乓球嗎？

不打。

這裡的基本規範是盡可能降低病患傷害自己的可能性。所以我們真的得相當謹慎。不能有任何皮帶或繩索或之類的東西。玻璃、尖銳物品也不行。

不鏽鋼鏡子也不行囉。

對。

你之前發現很多病患用**乒乓球桌**的網子上吊嗎？

沒有，但很可能發生過。總之在某個地方。還是提出一個我去要求時不會引發很多問題的東西吧。

那就沒得談了。除了網子外的東西都不用。

抱歉。我們該聊些什麼呢？

我**不**知道。不然你先問我三個問題然後換我問你三個問題。

好。

好？

沒什麼不行吧。

誰先。

你可以先。

好吧。什麼都行？

我想是吧。

好。你妻子的名字是什麼？

艾笛溫那。

你開我玩笑吧。喔該死。我很抱歉。我不該說那種話。

沒關係。

有小名嗎？

艾笛。

你叫你妻子艾笛？

對。這樣已經是三個問題了。

別這樣吧。

好吧。再一個。

你結婚多久了？

十一年。總共加起來十一年。跟她離婚後我單身了三年。然後我們再婚後持續到現在。這樣算是幾個問題？

你們為什麼離婚？

你問過我了。

我知道。你當時表現得很糟嗎？這個問題有點私人。你有嗎？

到此為止。換我問了。

你**沒**有回答。你會帶你妻子出去約會嗎？

會。當然。

你們會去哪裡？

一起去吃晚餐。有時跟朋友一起。另外也會去看電影。我們是交響樂團的成員。對了還會去打保齡球。

你們不打保齡球吧。

好吧確實**不**打。現在真的該換我了吧。

好吧。問吧。

那只是在說笑話。我說保齡球。

保齡球才不是笑話。我愛保齡球。保齡球就是我的生命。

我才**不**相信。你有在寫日記嗎？

沒有。

你從沒寫過日記？

我**沒**說我從沒寫過日記。

但最近沒寫。

最近沒寫。你有看過病患的日記嗎？

沒有。

我想讀了應該會有用吧。

你只是想試探我是不是個正直的人。你學會識字時幾歲？

四歲。

是你母親教你的嗎？

不太算是。我是在她睡前讀故事給我聽時跟著看會的。她發現我能讀懂時嚇壞了。不過犯錯的人是你，對吧？

你說離婚。

對。

對。是沒錯。

然後她又接受了你。三年之後。

對。態度寬容仁慈。

你有跪下來求她嗎？

沒有。我想該換我提問了。

可是有非常認真地追求，對吧？

對。

好。

你**沒**有任何朋友。這代表你覺得所有人都很無聊嗎？

不是。人們總是讓我驚訝。

我有讓你驚訝嗎？

我想你問過了。就說你**沒**有讓我感到驚嚇吧。

你有在跟誰約會嗎？

天哪。約會？

對。

我**不**跟人約會的。

從來沒有。

沒有。

我想這是你有意識做出的決定。可以問你是怎麼做出這個決定的嗎？

想問什麼就問吧。我任你擺布。

我**不**相信。

我想要的男人不願意接受我。所以就這樣了。我無法停止愛他。所以我的人生基本上已經完了。

那個神祕的男人。

對。

不太可能是我知道的人吧。是我知道的人嗎？

我不想說。

不過你一定有追求者吧。

真古雅的說法，追求者。這個說法包括那些試圖在舞池裡亂摸你的鄉下人嗎？

我想不包括。你看起來很不自在。

比平常更不自在嗎？

我覺得有。回來談你愛過那個男人。這是多久前的事？

我一直愛的那個男人。

好，一直愛的男人。

或許還是別談這個了。

好吧。

我沒有你想像的對愛情那麼有興趣。我早就被迫接受我有點嚇人的事實。另外當然還有因為瘋狂而必須承擔的污名問題。為什麼我感覺你會抓著這句話不放？

抱歉。我猜應該是因為聽見你用瘋狂來描述自己而覺得驚訝。

我沒有說我這樣描述自己。不過要是我堅持自己神智清明你也得考量這個宣稱的來源是否可靠。當然啦發現那些被關在軟墊病房內的人跟把他們關進去的人之間的世界觀彼此衝突也不該讓人驚訝。

你並沒有承認這兩種觀點同樣可能成立。

好。

好什麼？

除非對你來說這是個問題。

我覺得我們一直在偏離主題。

主題是？

你。

這樣啊。

我覺得那種身為異類的感覺——跟僅僅感到疏離不同——在精神病患之中是很常見的現象。

或說在所有異類之中。

有個常見的經典橋段是殺手在鏡子中瞥見自己的樣子。他會突然看見一個瘋狂的人滿身是血高舉斧頭然後突然意識到那個人就是自己。在故事中這種畫面通常和那人被埋藏住的意識有關。你會怎麼詮釋這件事?被揭露出來的究竟是什麼?

好。

一種對於誇張通俗效果的愛好吧?問你件事。

你為什麼任由我霸凌你?

我**不**知道。我有嗎?

好吧不重要。你所居住的世界是由一系列共識所支撐起來的。你有想過嗎?大家都盼望世界的真相不知怎地就埋藏在這些共同經驗裡。當然科學和數學或甚至哲學的歷史都跟這個想法有相當大的出入。就定義而言所有創新與發現都跟人類的共同理解相衝突。這是任何人都該警惕在心的事。你怎麼想?

我**不**知道。我不確定你的世界觀是什麼。

我**沒**有什麼世界觀。以前有。現在沒有了。不過我得說——而且是再次強調——我一直都覺得唯我論的立場可說完全不容爭辯。

你會重新考慮服藥嗎?我確定有些選項你一定沒試過。

不管怎麼挖這口井都不會有水啊。

你從來沒有真正表示反對。

只是不到你滿意的程度。

要這麼說也行啦。

你不知道抗精神病藥物是怎麼回事也不知道那些藥物運作的機制。更不知道為什麼有效。我們最後只會看到那些遲發性不自主運動患者摸牆往前走的慘烈奇觀。看著他們一邊抽搐一邊流口水一邊喃喃自語。所以當然那些跋涉前往虛空的人會在途中的某些休息小站獲得病況突然變得悽慘無比的消息。或甚至突然打起一陣寒顫。世上有些數據資料是只有悲慘到一定程度的人才有辦法取得。你如果沒落魄過就不會知道底下的地獄有什麼。相對來說喜悅不會讓人感激。你還真是陷入一種深思熟慮的沉默啊。

就是一般的沉默。

除去一般性的虛空不談所謂的幸福似乎有上限。我猜任何人都只能幸福到某個程度。然而苦難似乎沒有下限。每種更深沉的慘痛都是人們此前從未想像過的程度。而且都暗示還有更糟的情況在前方等著。

我似乎記得我們一開始談話的氣氛比較開心。

抱歉。

我想知道你能不能透過語言告訴我最困擾你的到底是什麼。我們聊了那麼久我還是不太了解你的人生。

別白費苦心了，醫生。我們正在前往一個完全假設性的世界，我們兩個都是。等我們到了那裡會比較開心喔。

我也只能相信你了。你還拉小提琴嗎？

沒有。

之前有拉過嗎？

每隔一段時間拉一下吧。

你找不到時間練習。

是不願意。

你覺得要是有練習你會多出色？

至少是前十名。

世界排名前十？

對。世界排名。還有什麼問題？

你怎麼知道自己那麼擅長數學？

就是知道啊。這哪算是個問題。

你覺得音樂有療效嗎？

我該重拾拉琴時光嗎？

只是個問題而已。

要看哪種音樂吧。

擁有足以讓狂亂猛獸靜下來的威力。

心胸。

什麼？

讓狂亂心胸靜下來的威力。其實那句話說的是魅力，讓人靜下來的魅力[79]。

你確定嗎？

老天。

抱歉。你懷念那把小提琴嗎？

懷念。很懷念。

你覺得你是不是總在逼迫自己放棄生命中其實可以幫助你穩定前行的事物？

我想這個問題屬於心理學的範疇。我不知道答案。什麼啦？我有這樣嗎？我們有嗎？個人的這種傾向又要怎麼抗衡世界自己本身就在強迫我們放棄這類事物的渴望。我想我明白你的問題。我們思考過這種問題。或許我們的迷信是如果我們直接放棄喜愛的事物那世界就不會奪走我們真正熱愛的事物。但這當然是傻氣的想法。世界很清楚你熱愛什麼。

有意思。

我很久以前就放棄為我自己道歉了。我該說什麼呢？說我很抱歉自己就是這種人嗎？這件事跟我沒什麼關係啊。至於你的問題——就承認我偏愛各種廣泛概略的說法——我可以說那些看起來是難題的東西通常只是陳述糟糕的主題。我想我之前的話也透露過類似看法。這其實只是維根斯坦觀點的直白說法。不知道欸。或許我們可以談談別的。

我還滿喜歡這個話題的。

喔天哪。

只是鬧你的啦。誰是薇薇安小姐？

她是個年紀比較大的女人。很瘦。行為古怪。我記得那時她穿得非常花俏而且化很厚的妝。帶著一條破爛的毛皮長披肩。她會透過一支鑲有水晶假鑽的長柄眼鏡看你同時抽著插在象牙菸嘴裡的香菸。

你是用談論過去的方式談論她。

有陣子沒見到她了。

她是小子手下負責表演的人之一嗎？

79 「音樂擁有讓狂亂心胸靜下來的魅力」（Music has charms to soothe a savage breast.）這句台詞出自英國劇作家威廉・康格里夫（William Congreve）於一六九七年首演的劇作《哀悼新娘》（*The Mourning Bride*）。

不是。

你有跟她聊天嗎？

當然。我們會坐下來談天。她是個挺不快樂的人。臉上的妝會因為哭泣而滿是淚痕。或者應該說因為淚水出現溪谷，以她的情況來說。

她為什麼不快樂？

寶寶的事讓她不快樂。她以前會為了寶寶哭。

寶寶？

對。

什麼寶寶？

我不知道。世上所有的寶寶吧我猜。

為什麼這件事特別讓你感興趣？

因為我人生中的前兩年也哭個不停。

很充足的理由，我猜。你知道她是為了寶寶的什麼而哭嗎？

她沒有說。只有表示他們都很不快樂。你確定這是你想深入的話題？

看你啊。是吧。我想。

她離開了很長一段時間。我很驚訝地發現我很想她。我做了一個跟她有關的夢。我以為既然我很想她又很想跟她說話她就會回來。但沒有。夢的內容是什麼？

什麼？

我只是把你想問的下一個問題說出來。

好吧。夢的內容是什麼。

是個跟小孩在哭有關的夢。我醒來時他們還在哭。只是哭聲變得遙遠。我不認為哭聲有停止。只是再也無法聽見。我之前不太常跟嬰兒待在一起。可是我真的很想知道他們為何哭個不停。

我想他們哭的原因各自不同。不是嗎？比如尿布濕了，或是餓了。

我覺得可能不只是如此。動物在飢餓或寒冷時也可能哀叫。但不會大聲哭叫。那樣做很不好。畢竟製造出愈多聲音就愈有可能被吃掉。動物在無法逃跑時一定要保持安靜。假如鳥類不會飛就不會歌唱。你也不會在無法捍衛自己時發表自己的意見。

聽起來是一種隱喻。

只是生物學罷了。

好吧。

令人驚駭的是那些哭聲中的痛苦。我慢慢注意到這件事。每個巴士站都有嬰兒而且總是在哭。那種哭法可不是什麼小抱怨。我無法理解為何能有如此微小的難受透過這種傳達巨大悲苦的形式呈現出來。沒有其他生物如此敏感。我愈想就愈是清楚地意識到我聽見的是怒氣。而最驚人的地方在於似乎沒有人覺得這件事很驚人。除了薇薇安小姐之外。當然你可以指出無論她多慈祥多親切或多憂心忡忡反正她就是個老瘋婆。而且對現實的認知充滿問題。所以我只是獨自在思考這個問題。我不認為我們有好好討論過這個主題。因為她只會開始哭而且不停搖頭。我本來以為她既然把這些一直以來承擔的煩惱告訴我就一定是希望我能做些什麼可是情況開始變得比之前複雜。我認真思考過。孩童這些怒氣乍看莫名其妙而唯一可能的解釋就是他們發現自己認為世界應該或不該如何的某種理所當然的深層盟約沒有獲得正確實踐。我能明白畢竟他們一開始接觸到的世界就是這個世界真實的樣子。

你不覺得這些想法有點天馬行空嗎？

確實是。

一個孩子要怎麼知道世界該是什麼樣子？

這就是孩子與生俱來的能力。正義感的概念舉世皆然。所有哺乳類都一定有。就算是一隻狗也能清楚明確地知道什麼是公平什麼又不是。狗不是後天學會的。狗生下來就清楚。你願意再天馬行空一點嗎？

那就天馬行空到底吧。

所謂再天馬行空一點是去理解正義及人類靈魂這兩個概念其實是同一種思考的兩種形式。

你不會是剛剛才想到這個說法的吧。

不是。

那動物呢？

牠們沒有大聲哭叫啊。當然天馬行空本身也可能代表精神失常。總之，這算是挺直接地帶到下一個問題。

什麼問題？

孩子對生命懷抱的怒氣是在幾歲變成憂傷？

我不知道。我不認為皮亞傑[80]有處理過這個問題。或這件事的原因。

我想我知道原因。因為讓他們如此沮喪的不正義無從補救。怒氣只能針對你相信可以修正的事物。其他無法修正的只會帶來哀慟。到了某個時間點他們會理解這件事。

我想生來就有正義感這個概念很難讓人信服。大家很難相信孩童一出生就能擁有這種想法。他們能擁有的其他事物也不多。大概就是害怕跌倒。害怕太大的聲響。喜愛乳房。剩下的只有各種可能性。整體架構已具備但內容都還沒到位。所謂生來就有且已有完整形貌的事物很少見。而且非常原始。但必須要存在。只要聽見啜泣的孩子說某件事不公平那你聽見的一定是真相。

---

80 尚．皮亞傑（Jean Piaget, 1896-1980），瑞士發展心理學家。

那位小姐——是叫薇薇安嗎？

薇薇安。

那位薇薇安小姐。她被派來就是要告訴你這件事。

我不知道。我總懷疑這只是在我們推進到下一個議題之前我必須搞懂的一件事。

下一個議題是什麼？

不是很容易處理的議題。我無法說自己能把這個議題處理好。如果你說世界本身內含解決所有令人煩惱事物的答案我會說不完全錯誤。但支持這個概念的前提在於世界有一種秩序而且這種秩序並非建立於總在永無止境處理最新出現的老問題之上。

我不確定我懂你的意思。聽起來有點柏拉圖哲學的意味。

我知道。可是這並非暗示我們所感知到的只是現實的影子而是要說存在一種現實堅實地足以支持現實進行無止境的探索。

你來這裡時帶著一支牙刷。為什麼？嗯。當然還有現金。

我不知道。我的生活總是很簡樸。鮑比以前會帶我去逛街購物然後那些衣服就只會一直掛在衣櫃裡。我猜放棄那把阿瑪蒂小提琴讓我很難受。

已經放棄了嗎？

我不知道。我還是很想拉那把小提琴。那把小提琴一直都在。我第一次聽見巴哈時有種靈魂出竅的體驗。大概十歲的時候吧。我還記得看著自己坐在客廳的沙發上。聆聽著。我甚至**沒**想到這樣很怪。

你有過其他靈魂出竅的體驗嗎？

沒有其他因為音樂靈魂出竅的體驗。可是那次的體驗改變了我。就好像轉動了一把鑰匙。那是一種肉體上的改變。我再也不是之前那個人了。

如果不是因為音樂那是因為什麼？

有一次我被黃蜂叮跑進廚房看見**愛倫奶奶**走進來彎腰查看我的狀況。我躺在地板上但又同時可以往下看見自己躺在那裡。我不禁想我是不是要死了只不過是以一種曖昧的方式。**愛倫奶奶**把一些用毛巾包起來的冰塊放在我臉上過了一陣子後我才坐起來。

有人曾說藝術創作最原始的材料是痛苦。音樂也是嗎？

我**不**知道。我沒有創作過音樂。可是我猜應該也是。

那數學呢？

數學只跟血汗及拖磨有關。我倒希望其中能有些浪漫元素。但**沒**有。情況最糟時你會在腦中聽見有人暗示你如何解題。任何人想努力跟上數學的節奏都很難。你**不**敢睡覺就算可能已經熬夜兩天但也只能接受現實。你發現自己正在做一個決定然後發現還有兩個決定等你下判斷然後是四個然後是八個。你得強迫自己先停下來然後回頭。重新開始。你不是在尋求美，你在尋求簡約。

美之後才會出現。在你把自己搞得一塌糊塗之後。

這樣做值得嗎？

地球上沒有更值得的事了。

你覺得人唯一不可或缺的天賦是什麼？

信仰。

現在這個你感覺比較有生命力。

嗯。是被你拐騙出來的。

你一定覺得那跟音樂不同。我指的是數學。

那些指引著巴哈那類作曲家的音樂規則……好吧。沒有任何作曲家是巴哈的同類。巴哈是獨一無二的。但如果暫時撇開這事不談，任何門外漢都可以學會這些規則。這些規則就是要給人學的。或者就是沒有要給人學。無論有沒有人寫下音樂的第一個音符總之這些規則都存在。你覺得事實是如此嗎？

聽起來是柏拉圖式的音樂。對我來說啦。

對。這還是最不糟糕的說法了。叔本華認為如果宇宙消失只有音樂會存續下來。音樂的本質就是規則。如果沒有規則我們只能擁有噪音。我們聽到彈錯的音符會皺眉。我們會因此微笑或啼哭或發起戰爭。你有辦法解釋原因嗎？你怎麼知道何時某人正在跳舞？我是說要是他們跟音樂的節奏不合呢？

我**不**知道。

你不知道。可是這套規則——我想就稱為法則吧，音樂的法則——是**獨立於一切存在**而且本身就是完整的。這套法則已為世人所知而且永遠不會再有所增添。但數學是這樣嗎？在數學領域有那種足以統一一切的宏大理論[81]嗎？希爾伯特的第二命題？康托爾的夢？看來幾乎不可能。無論有沒有朗蘭茲都一樣。然而數學本身不是應該至少要擁有一種描述嗎？不只描述數學的本質還有數學可能的未來發展？我想鑽研數學。可是我也想理解數學。但我永遠沒辦法。我甚至**不**知道該如何提出這個問題。

我很驚訝你會說理解數學這件事超越你的能力。這是大部分數學家都在擔心的事嗎？又或者他們就是直接投入計算工作。

我想對大部分人來說這個疑慮稍縱即逝。頂多就是想一下。

你說數學家大多很勤勞。但我還是不確定你們怎麼工作。

對。首先要做的是脫掉你的鞋襪。這樣才能平行存取十進位系統內的數據資料。

你怎麼知道我**不會**不小心相信你？

---

81 原文：grand unifying theory，而物理學領域實際存在著一種「大一統理論」（Grand Unified Theory）。

你怎麼確定你不該相信？這裡的核心問題不在於如何去進行數學工作而在於無意識如何去進行數學工作。為何有各種證據顯示你的無意識表現得比你好呢？就說你本來在處理一個數學問題但決定暫時放到一邊吧。那個問題並不會因此不見。而是會再次在午餐時間浮現。又或是在你沖澡的時候。那個問題對你說：看看這裡。你有什麼想法？然後你會突然疑惑沖澡的水怎麼變冷了。又或是湯怎麼涼了。這是在進行數學工作嗎？恐怕是的。無意識到底是如何進行的呢？我們不知道。我曾拿這個問題去問一些相當優秀的數學家。我問他們無意識究竟是如何進行數學工作？有些人想過這個問題但有些人**沒**想過。他們似乎認為大致上來說無意識處理數學的方法不太可能跟我們相同。讓我驚訝的是他們面對這個消息時漫不在乎的態度。就彷彿不覺得我正在他們眼前揭露了數學的本質。有少數幾個人認為如果在進行數學工作方面有更好的方式無意識應該要告訴我們。嗯，或許吧。又或許無意識認為我們沒有聰明到足以理解。

我不確定我明白這到底是如何運作的。

也沒有其他人明白。有時你會明確感覺做數學這件事基本上就只是把數據餵進一個中繼站然後等著看會有什麼結果。我甚至不確定將一切事物寫入記憶是明智的決定。畢竟任何輸入進去的事物都不會再改變。而無意識的算計方式似乎並非如此。我不太喜歡把任何東西寫下來。這樣好嗎？我不知道。格羅滕迪克什麼都寫下來。韋頓[82]什麼都不寫。但我認為大部分不做紀錄的人是要讓這些東西去自由尋找各種全新的類比。於是它們到處忙著自己的事只偶爾回來向你匯報。就算是一份書面描述——或一條方程式——都可以是一種路標。一個中繼小站。足以讓你明白自己的進度並給你一個重新開始的起點。狄拉克會畫圖。我不認為他相信有圖像能呈現出小到無法折射光線粒子的實體，可是他有工程學背景而且那個背景已成為他根深蒂固的一部分。有時各種稀奇古怪的東西很好用。比如擅長打算盤的人就能利用想像出來的算盤計算得很好。

這是真的嗎？

不是。都我亂編的啦。老天。

抱歉。我不確定有聽過任何針對無意識的描述曾為無意識賦予這種自主性。

嗯。無意識已經自主運作很久了。當然如果沒有透過你自身的感覺中樞無意識無法接觸外界。除此之外它只會在黑暗中工作。就跟你的肝臟一樣。基於歷史性的原因無意識痛恨跟你對話。無意識偏愛戲劇、隱喻、圖像。但它非常了解你。而且無意識只追求你打算追求的理想。

我們跟無意識之間有合作關係嗎？這是一種互惠安排嗎？

不。這樣講就太牽強了。

你有忽視無意識的自由嗎？

---

82 愛德華・韋頓（Edward Witten）是美國猶太理論物理學家。

當然。想忽視就忽視。你可把這作法稱為人工干預。當然不是每次這麼做都能說是個好點子。

你有跟其他治療師談過這些想法嗎？

不太有。他們很容易就會覺得無聊。

他們說什麼？如果**沒**有無聊到不行的話。

沒說什麼。他們就是寫下來。或是寫些其他什麼吧。又或者我會改變話題。

像是現在。

沒有。我們現在還行。

我想你對我們這類**靈魂醫生**抱持保留態度的背後有段漫長的故事啊。

可以這麼說。

你最受不了的是什麼？

不知道欸。或許是缺乏想像力吧。你們將病患分類的方式非常混亂。就好像病名跟療法是同一回事。而且總是忽視這些治療手法的功效完全缺乏任何一丁點基本證據。除此之外就還行。

還真令人欣慰。

總之，你們還真是為自己東拼西湊出一個很不錯的小手工業呢。你們處理的主題似乎是現實但這件事本身就很搞笑。不過，至少你們把損害控制得很小。畢竟如果你們能讓病患有衣服穿有食物吃也不會在街上遊盪的話也算好事一樁。

那個小子。他有試圖影響你嗎？他有叫你去做些什麼嗎？我有問過你但還是不太明白。

我得晚點再回答你。

什麼意思？

我得再想出一個答案。我很確定他曾有建議我該怎麼做。就有時候吧。至於影響我，嗯，不然他出現還能是為了什麼？

你覺得一個說話的聲音有可能讓人去自殺嗎？

你懷疑小子默默地將本人我逼到了死亡邊緣嗎？

就只是個問題而已。

要是一個人有幻聽那她就會跟那個聲音建立某種可定義的關係。大部分人自殺時並不需要靠任何聲音推一把。或許該讓你進一步思考的是在動物界中自殺與智力之間的正相關而且你可能會想知道這件事在個體及物種層面都能成立。我就會想知道。

你認為所有的自殺行動有什麼共通點嗎？某種共通的心態？

有。他們不想待在這個世界上了。

嗯。

我又表現出自以為聰明的樣子了。我的心情實在不能說很好。我想你多少有注意到。

想停止對話嗎？

沒關係。

好吧。

我猜如果世界是由你建構而成那以世界擁有自主性的觀點來進行討論會是件靠不住的事。世界是一種認知，就此而言我不確定表示世界擁有自己的生命是什麼意思。我會說情況並非如此。世界擁有的是你的生命。然後就沒有了。

這是你之前說過的事。

我想是吧。

對其他諮商師說的。

對。

他們怎麼回應？

他們沒有回應。

那你會怎麼做？

不知道欸。有時我會直接爆笑出聲。

可是你說那些話時都是認真的。

對。

那之後他們會怎麼做？

你知道他們會怎麼做。

寫下來。

對。

他們會寫什麼？

誰知道？病患可能有青春型精神分裂症[83]吧。總之，這些都已經不是最需要擔心的問題。我無法嚴肅看待這些想法。

為什麼已經不是最需要擔心的問題？

是更需要擔心的問題才對。

我還是不知道要不要認真看待你的這類發言。

我知道。

你在服用抗精神病藥物後那些來訪就停止了。

那些來訪。

對。

83　這裡的「青春型精神分裂症」（hebephrenic schizophrenia）為英文少用病名及中文舊譯名，非現在的正式用法。

聽起來像某種宗教體驗。

抱歉。

藥物能將世界重構成某種類似客觀現實的東西這個宣稱就跟客觀現實本身一樣沒什麼有效性可言。我想我當時說的是比起清醒的心智狀態我更沒有理由信任自己服藥後的心智狀態。

你不願意試試看別種藥物吧。

你問過我了。

好吧。如果有人在小子出現時走進房間他們有可能看見他嗎？

這個也問過了。但應該看不見。

但也不是絕對看不到。

我不知道。

如果他們跟我們其他人一樣有在服用「現實藥物」那我想就看不見了。

我想是吧。

你想休息一下嗎？

當然好。不如來根菸？

沒什麼不行。

你平常沒把菸帶在身上啊。

沒有。

你把菸都收在最底層的抽屜裡。為的是不讓別人拿走？

目前為止都猜得很正確呢。

謝謝你。有帶菸灰缸嗎？

有。如果想要的話你可以把菸和菸灰缸都拿走。

沒關係。我其實平常不太抽菸。

抽菸是為了放鬆？

不知道欸。說不定只是想使壞。

真的嗎？

就是啊。

你第一次抽菸時幾歲？

三歲。

不可能。

確實。但也沒比三歲大多少。我從舅舅放在咖啡桌上的菸包裡抽了根菸再去廚房拿了火柴然後走到燻料房點燃香菸。我那時大概六歲吧。

有想吐嗎？

我只記得感覺很暈眩。不過我想，大人都在這麼做一定是有原因的吧。

我猜這個想法的**保存期限**很短啊。

我**不**認為大部分孩子有認真思考自己有一天會變成大人這件事。也沒想過他們會變成長大後的這個樣子。

你也是嗎？

對。

然後呢？

我看**不**出有別的出路。

你是何時第一次想到自殺可以是個選項？

認真想嗎？

認真想。

或許我連那到底是什麼意思都不確定。我還比較小的時候——十歲、十一歲吧——就體驗過一種像是清醒的夢並因此感到害怕。然後我意識到我既不清醒也不是在作夢。那是別的東西。而且我沒有理由相信我所看到的事物不存在就算那對我們來說是未知的界域其中帶有的威脅性也不會因此降低。

那個夢的內容是什麼？或說那個異象還是不管叫什麼的東西。

我透過一個像是大門窺孔的洞望向世界看見幾個哨兵守在一座大門前而我知道在大門後方有某種恐怖而且足以支配我的東西。

某種恐怖的東西。

對。某種生命體。某種鬼怪。所有尋求庇護以及跟他人締結盟約的需求都是為了避開這個我們感到無止境恐懼卻又毫無所知的可怕東西。

你當時幾歲？

十歲。我想是十歲。

你有再看到這個異象嗎？

沒有。也沒什麼其他可看了。那些守衛者看見我於是彼此打手勢接著所有人變黑我之後再也沒見過。我把那東西稱為Archatron[84]。

那個在大門後方的鬼怪。

那個在大門後方的鬼怪。

被隱藏起來的鬼怪。

對。

---

84 這是作者自己造出來的字，如果用希臘文字源來解釋可以直譯為「規則之器」（instrument of rule）。

可是什麼都沒改變。

什麼都沒改變。我倒希望那是場夢這樣我還能醒來。我倒希望我可以忘記但沒辦法。我倒希望我可以變回之前的自己但永遠不可能了。

還有呢？

就這樣了。大家都知道自殺始終是個選項。但沒有太多人會主動選擇這麼做。尼采說那個想法能幫助你度過很多糟糕的夜晚。光是知道自己可以自殺就可以了。不過真正自殺的人是少數。人們總是非常眷戀自己的人生。

但不是每個人。

不是。

讓我換個問法。

看好戲囉。

你曾經感覺小子和他的夥伴是被指派到你身邊的嗎？

指派。

對。

被誰指派？

我不知道。說不定這個釐清過程中的另一個問題也就是他們究竟有沒有別的客戶。

我們可能得去詢問那些客戶。不如去分類廣告欄位刊登一則廣告吧。

我可能只是覺得小子在你口中是一個形象如此鮮明的人物甚至還配有一整套人物側寫故事才對。我還是不知道你是怎麼理解他的。大腦勢必需要花費大量精力才能打造出這樣一個人造物。更別提多年來還得維持這個人造物的一致性。你覺得是什麼值得讓你耗費這麼大的心力？

我不知道。那時的我真是個麻煩的小婊子，不是嗎？

嗯。之類的吧。

對我來說跟你進行這個對話——其實應該是任何對話，我想——我都必須為了配合你的觀點以及從你的立場看到的世界真實型態而做出一系列妥協。我當然可以這麼做。但問題在於對你來說觀點從來不是問題。你永遠不會困擾地發現你正在用看似正常的方式討論一些極為古怪的主題。又或者只是因為你擺到檯面上的那種天真態度吧。你或許會說：哎呀，不然我們還能怎麼討論這些主題？可是當主題是嵌合獸時你的立足點不是就已經有問題了嗎？我很早就想過小子的出現可能不是為了要提供什麼而是要遏止些什麼。而此刻整件事卻被納入以單一現實為大標題的成規之下然而單一現實本身卻仍是無法被處理的議題。我晚上會在我的房間醒來躺著聆聽周遭靜默。你問他們在哪裡。我不知道他們在哪裡。但他們不在烏有地。烏有地就跟烏有物一樣需要被一個就自身定義而言無法提供的證人來證實。你不會樂意承認這些存在擁有自身意志，可是如果他們沒有擁有類似自主性的元素那怎麼可能有人說他們存在？我沒有能力召喚他們出現也無法將他們送走。我無法為他們代言也不會關心他們的衛生或衣著。要我說的話他們跟活體並無分別，但真相是他們的現實感其實更為清晰明確。不只是小子而是他們每一位。包括他們的動作、他們的發言，還有他們衣物的顏色和皺褶。他們沒有任何像是屬於夢境之處。這些話都沒什麼幫助，是吧？嗯，人們通常不會認真聽瘋子說話。除非他們講了好笑的事。

你覺得我有認真聽你說話嗎？

我就是你最典型的瘋子呢。你問過這個問題了。

你之前怎麼回答？

讓我把這個熄掉。

用這個。

謝謝你。你還算是有在聽吧。回答你剛剛的問題。

他想遏止的是什麼？

你說小子？

對是小子。

我不認為這個問題能有簡單的答案。如果世界本身就是恐怖的那也沒什麼好修正了而你唯一能保護自己不受折磨的方法就是不去認真想這件事。

這樣想怎麼會有幫助？我不明白。

我很抱歉。可是我能說的真的只有這樣。

你醒來後知道他們就在某處。那些生命體。可是你的解釋似乎有點哲學。如果那算得上是一種解釋的話。

我知道。還不如直接問嵌合獸放假時都在做什麼。

對。還真不如這樣問。柏克萊的校園生活仍然算是你人生中的一部分嗎？

我人生中發生的所有事都是我人生的一部分。我沒有那種可以忘記什麼的餘裕。我大概在八、九歲後沒多久就意識到事物會消失。當人們說他們不記得某些事時我還以為只是他們不想談。但我活過的時空不會消失。所有發生過的事基本上都還存在我的世界裡。

難道不只是程度問題嗎？我們所有人幾乎都是回憶的聚合體。

我知道。那是件靠不住的事。我想我能信任自己對各種事件的回憶主要是有證據顯示我有記憶的能力。但回憶跟回憶的對象是一樣的嗎？詩作除了詩句本身沒有其他實質內容，可是歷史事件——包括你的個人史——則是完全沒有實質內容。他們的物質性已消失無蹤。我的經驗是記憶力不好的人就跟所有人一樣急於證明自己的記憶正確。

你的世界現在想必有點擁擠。

沒錯。不是什麼都受歡迎。你必須小心挑選放進來的東西。可是我不會去改變我的世界。我永遠不會試圖擺脫柏拉圖。或康德。維根斯坦算是被我認定為同代人。就像一起學習的學生。胡賽爾[85]喔我真是愛他。他是數學家，所以我信任他。他是弗萊堡大學的教授他在那裡收了一個名叫馬丁·海德格[86]的年輕學生他是他的學術老師也是他的人生良師然後納粹來了他們說胡賽爾必須被解雇因為他是猶太人而海德格說當然好，這樣做才對。於是胡賽爾清空他的辦公桌回家坐著啜泣之後他死了結果海德格接下他的位置。於是我想我們現在面對的問題是如果一個人的正派特質沒有反映出哲學探索的某種基礎那哲學探索的目的是什麼？維根斯坦這輩子都苦惱於自己的靈魂狀態。海德格卻似乎從沒想過這個問題。我怎麼會成了諮商師呢？

不知道。你或許可以成為一位優秀的諮商師。

應該不會。我覺得我會說我根本**不**想聽他們無聊的**日常生活**然後直接切入那些夢境。

我們有這麼做嗎？

直接切入夢境？

我**不**知道。

我們應該多談一些夢？

我們還有時間。

我想是吧。可是她那傢伙是個狡猾的小婊子。可以確定只要開口幾乎沒幾個字就會說一個謊。話說「誤入異途」和「異常」[87]的語言學關聯是什麼？午餐什麼時候吃？

中午吧我想。讓我問妳個問題。如果你被那個男人拒絕了為什麼**不**繼續過你的人生就好？你當時才幾歲？十二歲？

對。一個十二歲的浪女。

聽起來不太可能。

我只是想強調我是個好色的女孩。

你當時的性生活就很豐富了？

不。當然沒有。我有些還無法接受自己的地方。有時我們需要一些讓你很迷惘的經驗才能從沉睡中驚醒。

我想這代表你有過那種經驗吧。

是有。

你會願意分享嗎？

聽起來實在是件小事。

沒關係。

85 埃德蒙德・胡塞爾（Edmund Husserl, 1859-1938），德國哲學家。
86 馬丁・海德格（Martin Heidegger, 1889-1976），德國哲學家。
87 這裡的原文是「devious」和「deviant」，為了強調兩者字源相同翻成「誤入異途」及「異常」。

發生在課堂間的學校走廊上。

在高中。

對。有個學長叫住我要我轉身背對他。他是籃球隊隊長而且基本上大家都覺得他是學校裡最酷的人。他手上有一張紙和一枝原子筆而且一邊用手指轉那枝原子筆一邊說：借一下你的背。有個女孩站在他旁邊看我轉身他把紙放到我背上開始寫字。我不知道寫什麼。我不知道。或許他另有什麼打算吧。我的意思是他大可把紙貼在牆上寫就好。或者利用置物櫃的門。可是我還是轉身讓他用我的背寫字然後閉上雙眼。那種感覺非常肉慾。一開始我覺得那是有人用手指摸上你的背部帶來的顫慄感。可是不僅只是如此。我覺得那些字是在寫給我的。我可以感覺到那個女孩在觀察我。她突然表現得很好奇。她大概十六歲吧。他寫完後說謝啦我張開眼他們就沿著走廊離開了。

就這樣？

就這樣。沒錯。

我不確定你跟我說的這些代表什麼意思。

我知道。

你說那種感覺很肉慾。

對。

帶有性的意味嗎？

對。非常。

所以這讓你領悟了什麼？

我的領悟是我已經無可救藥地陷入愛河一陣子。我的人生早已有了答案。也就是說，就算我沒有在尋找答案也一樣。這也倒不是很罕見的狀況。

就是這樣了。

就是這樣了。

你當時十二歲。

對。

可是你**不**會告訴我對方是誰。

不會。

你怎麼知道那是愛？請原諒我心存懷疑。

你怎能不懷疑呢？但我只有在他身邊才能獲得平靜。或許平靜可以描述那種狀態吧。我知道我會永遠愛他。無視上帝國度的法則。而且我永遠不會愛上其他人。

而結果也確實是如此。

對。沒錯。

但他不愛你。

他非常愛我。

嗯。我不明白。

我知道。

一定是因為年齡差距。那是我唯一能想到的理由。

我從來沒把這當成一個問題。如果能讓他好過一點的話我曾覺得我們可以先等個一年。甚至兩年也可以。

但即便這麼做也不能讓他免於牢獄之災。

隔年夏天我們很常見面。再隔年夏天也是。

你十三歲的時候。

那時我已經十四歲了。我以為只要把我的身體和靈魂獻出去他就會毫無保留地接受我。但他**沒有**。

他沒有。

所以又能怎麼辦呢?你還能指望自己怎麼做?

我猜不會再有任何其他選擇了吧。

除非你在暗示死亡這個選項。

我沒有。

我知道你不會願意承認這個特定案例很難只被當作女學生的一時迷戀。我這輩子一直在要求獲得某種特別的特權或豁免於某事的可能性。那些我相信是只因為找不到任何人來向我說明如何獲取才導致我得不到的權利。但要求你選擇放棄過去或未來的那種剝奪感實在太難熬了。所以我想問你要從哪裡重新開始？既然你這麼暗示的話。又或者我想問你到底該如何開始。又或者是問你更核心的問題，為什麼要重新開始？

絕大多數人都會找到方法處理失望你不覺得也該好好思考這件事嗎？

不覺得。

那就是你希望能豁免不做的事。

對。

這個對話已經轉往一個相當奇怪的方向了。

我知道。渴望獲得滿足的美好完全比不上渴望無法滿足而留下的遺憾。

上帝國度的法則。你想多說明一點嗎？

不想。

好吧。可以談談你的父親嗎？我們再聊聊這話題。

如果你想的話。

你似乎興致缺缺。

沒關係。就談吧。

你說你沒有覺得你父親該負責。

我不覺得。這是我的看法。歷史會吞噬掉所有人，連同他們所需負起的責任。不過那顆炸彈的影響是永遠的。

三位一體計畫是在哪裡？內華達嗎？

新墨西哥。

你父親在場嗎？

在。當然。

他有談過那個計畫嗎？

不太有。我讀過跟這個計畫有關的官方紀錄。我父親所屬的團體距離原爆點大約六英里。有人發給他們顏色非常深的眼鏡。我想應該是類似焊接時用的護目鏡。不過我父親帶了他自己的眼鏡因為他覺得用政府發的眼鏡大概看不太到什麼。我猜你可以把這個作為解讀成某種隱喻。不過那些眼鏡唯一的功能就是阻絕紫外線。他們聽著有人用擴音器倒數。那群傢伙可緊張了。有些人覺得核彈會爆炸但有些人覺得不會。我記得我父親只有說當極亮的閃光一開始出現時他用雙手遮住護目鏡但當光線襲來時他就算閉著眼睛也能看見自己的指骨。周遭沒有聲音。只有這一整片熾白的光。然後紅紫色雲霧一波波湧起接著綻放出那朵經典的白色蕈菇。那個時代的象徵。整坨雲緩慢聳立到一萬英尺高。震波帶來的超音速風讓你的耳朵一下子就痛起來。最後出現的當然是聲音。這褻瀆神的引爆之後是緩慢的轟隆鳴響，餘音席捲過燃燒的鄉間進入一個之前從未存在太陽的這一側世界。那些沙漠中的生物一聲哭叫都沒發出就已蒸發而這些科學家盯著映照在他們兩片護目鏡鏡片上的雙生蕈狀雲。我父親透過指間看出去一副非禮勿視的姿態。可是就算他們其他什麼都搞不清楚也知道一切為時已晚。

他們說什麼？我說那些科學家。

他們全站起來說哇靠。

不他們才**沒**有。

我**不**認為他們有說什麼。他們只是看得目瞪口呆。我父親有個朋友是這個計畫的主導人，一個名叫班布里奇[88]的物理學家，他說我們現在全是一群狗娘養的垃圾了。據說奧本海默引用了《薄伽梵歌》[89]的內容不過我想他把梵文中代表「時間」的字誤用成「死亡」又或者是反過來。又或者兩者其實意思一樣。

---

88 肯尼斯．班布里奇（Kenneth Bainbridge, 1904-1996），美國物理學家。

89 《薄伽梵歌》（*Bhagavad Gita*）是印度教的重要教典。

我本來以為我們這個時代的標誌性畫面應該要是ＮＡＳＡ[90]從太空拍的那張地球照片。那個在一片虛空中旋轉的美麗藍色球體。

兩者放在一起看多有趣，不是嗎？

你不覺得那張照片很動人嗎？

我覺得很嚇人。那片虛空完全無須在意這個世界能否存續。其中還存在著不知道究竟幾百萬顆的隕石。有些體積極為巨大。而且正以每秒四十英里的速度緩慢橫越這片黑暗。這片虛空如果真有在意什麼那一定早已表現出來才對但顯然沒有。我有個朋友曾說：等我們存在的所有蹤跡都已消失，這件事對誰來說還算是場悲劇？話說你會重播來聽嗎還是只是存著？

你說這些錄音帶。

這些錄音帶。沒錯。

有時我會重播一些段落來聽。可以嗎？

當然。

話說你的父親。他從沒表現出懊悔？又或者任何類似的情緒？

沒有。很多科學家都這麼做了。他們後來都改變了心意。我父親說他們早該想到會有這種結果。他們一開始就該搞懂自己的心意。

如果是這樣結果會改變嗎？

不會。他想講的就是這個。什麼都不會改變這個結果。計畫初期時有個運動是要讓科學家可以參與決定是否要真正使用這顆炸彈可是我父親覺得他們實在天真。他說這顆炸彈屬於付錢製作的人民總之絕不屬於科學家。畢竟是人民付錢給我們去做的，他說。而且我們還是很廉價的人力。他叫他們別再發牢騷了。

你的父母都死於癌症。

對。我不認為Y-12工廠的環境危害程度特別強——不過我奶奶深信我母親是因為在那裡工作才會死。相對來說我父親在南太平洋的工作可能更展現出自殺傾向。當然那時大家還不太理解輻射的危害。我想這其中的道理見仁見智。

我想你不會在其中找到什麼道理。你說你父親死在可以俯瞰太浩湖的一間小木屋裡。

不，我說他住在那裡。那裡很美。有塊岩地突出在湖泊上方走上去可以看見大概在二十英里下方的湖泊。可是他不是死在那裡。他是死在墨西哥的華雷斯城。

他死在墨西哥。

對。

他在墨西哥做什麼？

90　美國國家航空暨太空總署（National Aeronautics and Space Administration）簡稱ＮＡＳＡ。

他去進行癌症治療。

到墨西哥的華雷斯城進行治療？

對。有種杏核萃取物叫做扁桃苷但只有在第三世界的診所才能使用。我想他們是稱作維他命B17。很多走投無路的人都會出現在那些地方。其中包括不少名人。

你父親跑去墨西哥找庸醫治療癌症。

對。

你不覺得奇怪嗎？

當然奇怪。可是他已經用盡了其他所有方法。我不認為他對這個做法抱持多少希望。我想他只是以機率的角度去計算但怎麼算都不是零。所以就去了。如果他的論據中有任何缺陷大概就是他知道得太多導致無法真正對杏核萃取物的療效抱持信心。而這個療法要能有效的唯一方法就是他得有信心。

就像安慰劑效應。

差不多是那個意思。

他死在墨西哥。

對。

他埋在哪裡？

就在墨西哥的某個地方。他叫我哥跟他去但他不肯。結果他一個人去一個人死在那裡然後被埋在墨西哥的某個地方但我們都不知道是哪裡。

你還好嗎？

沒事。讓我靜一下就好。

——

好了嗎？

好了。

為什麼你哥不肯跟他一起去。

因為他覺得我爸這樣做很蠢。

你覺得他該去嗎？

對。他也這麼覺得。在已經來不及之後。

你父親是無神論者？

真是個怪問題。你是嗎？

有時候是。他是嗎？

我不知道。可能是吧。我想他是把信仰視為一個人性格的一部分。他不會認為相信上帝——或不相信上帝——能是個有意識的選擇。你要嘛是個信徒要嘛不是。我確信他覺得自己死得太早，可是我不確定那些不信上帝的人會如何面對死亡。

你也是其中之一嗎？

你只會得到一些怪異的答案。有什麼意義呢？

什麼答案都好。

如果你不知道生命是什麼——你確實不知道——那我不確定你要怎麼去描述沒有生命是怎麼一回事。我猜我們覺得我們很清楚自己在世間的定位但顯然這很荒謬。死是困難的，但不知道自己曾走過怎樣的路而死去是更困難的。不知道自己為何走過那樣的路而死去也是更困難的。嗯。總之，我猜你想嘗試理解的是擁有哪種心靈的人會全心奉獻於炸掉世界的事業。

我想嘗試理解的是你。你剛剛說你哥對於沒辦法跟你父親去墨西哥感到懊悔。

懊悔不足以描述他的狀態。後來我父親終於進入他的夢中於是我哥哥去了墨西哥想看看能不能找到他。

在你父親死後。

對。他想知道能不能找到他埋葬的地方。

我們可以談別的話題。

或許我只是今天心情不好。沒事。繼續吧。

他有找到你父親的墓嗎？

沒有。

他在墨西哥待了多久？

我不知道。我聯絡不上他。等我終於找到他……他非常痛苦。他那時已經回到艾爾帕索。我邀他跟我一起上餐廳可是他在餐廳裡哭到停不下來。我用手輕輕握住他的手臂可是他把手臂抽開了。

他為什麼這樣？

情況很複雜。

好吧。

他確實找到那間診所可是他們不願意跟他談。他最後把所有錢都給了墨西哥官員但還是沒得到任何答案。他在那裡待了好幾週。睡在一間每晚三美元的旅館裡。我不知道他上次吃飯是什麼時候。他看起來跟鬼一樣。

你是在艾爾帕索得知這一切。

對。他終於打電話給我時人在園丁飯店。他當時又做了一個夢。不過他不是稱作夢。他說我們的父親晚上來找他還說他站在床腳身披裹屍布然後我哥不停問他在哪裡可是他不知道。他不知道自己在哪裡。我哥在電話上聲淚俱下地這麼說然後掛掉電話我以為他會結束自己的生命。

他始終沒找到你父親埋葬的地方。

沒有。

你跟你哥一樣因為這件事如此難受嗎？

不只是難受而已。而且現在仍是如此。可是我沒有拒絕幫助我父親。我沒有被要求一起去。

大多時候我是在擔心鮑比。他的狀態實在太差。

你真的覺得他有可能自殺。

對。我不知道我找到他時會是什麼場面。

要是他真的自殺了呢？

我不知道。我想我可能也會盡快找機會自殺然後努力找到他。

你說笑吧。

我不覺得。

你相信有死後的世界嗎？

我連現在這個世界都不相信了。

你相信有嗎？

不知道。感覺實在不太可能。但還是得強調機率不是零。

我們從來沒有真正談過你為什麼回到海星聖母。

我沒有其他地方可去。

我實在很難相信你來這裡卻不是為了尋求某種幫助。

你要怎麼想都行。

這段對話就各方面而言都走到盡頭了，對吧？你不希望你等等的林間散步無法成行？你在微笑。

抱歉。

不，沒關係的。無論我擔心你什麼，讓你活著都是最優先要務。

還有什麼問題呢？

鮑比有再回去墨西哥嗎？

沒有。

你父親有再去找他嗎？他是這樣描述的對吧？

不，他沒再出現。

我知道我之前問過但還是想再問你們跟父親的關係親近嗎？

不親。可是我愛他。當時和現在都是。

我們只剩下幾分鐘了。跟我說一些你奇怪的地方吧。

奇怪的地方。

對。

你問我有什麼奇怪的地方？

對。一些我可能還不知道的事。就算是很小的事也行。

好吧。

所以？

我在想。

好。

我可以反著看時間。

什麼意思？

我是說如果看著鏡子裡的時鐘我會知道是幾點。

這我也會。

不你**不**會。你得停下來想一下才能搞懂。

而你**不**需要。

我**不**需要。

你有訓練自己做這件事。

我只是用想的。

怎麼用想的？

一開始我會把整個鏡像折過去。就是在視覺上這麼做。像是折一張紙。

你是說在你的腦子裡。抱歉我想是這個意思吧。

然後過一陣子我就不用再折了。我可以直接看出來。

還有呢？

什麼還有呢？

我不知道。關於時鐘還有什麼呢？

在鏡子中的三和九位置相反可是六和十二的位置不會變。這是個小孩才必須搞懂的問題但有些大人也會遇到困難。如果你把一把樹枝丟到空中拍照會發現水平向的樹枝比垂直向的樹枝更多。為什麼？畢竟所有樹枝都擁有一樣程度的自由。

我不知道。

這是因為垂直旋轉的樹枝會在途中經過水平平面。並短暫成為水平向的其中一員。而且是兩次。可是水平樹枝在旋轉時卻對垂直平面完全沒有貢獻。感覺起來不太公平，是吧？逐漸閉合的玻璃門上的影像會旋轉但無法彎折。光學啊。旋像性啊。對掌性啊。顏色啊。到處都是問題。

你為什麼成為數學家而不是物理學家？

因為數學比較難。或許吧。最主要是因為無論物理現實可能有什麼其他樣貌總之都是有限的。

這可能是我見過你最活潑的一面。

嗯。好好欣賞一下吧。

對了那把小提琴。

嗯。

你說你找不到時間練習。

或許是因為我並不真的認為自己能力夠好吧。老實說。我曾有一度對小提琴中蘊含的數學理論感興趣。我和紐澤西一位名叫卡琳·哈金斯的女子通信她當時正在嘗試繪製出那把樂器的諧波。她用烙鐵拆解了許多罕見的克雷莫納小提琴。她和一些物理學家合作製作出相當精細的設備以建立音板的克拉尼圖形。可是那些震動與頻率複雜到無法進行全面性分析。我當時覺得我可以針對這些頻率型態做出數學模型。

你有做嗎？

有。

有什麼發現？

卡琳做了很詳盡的紀錄。大家相信目前已知最老的小提琴是一把一五六四年的阿瑪蒂小提琴目前收藏在牛津的阿什莫林博物館。我們研究的最老樂器製造於一五八〇年而最晚近的樂器大概是一九六〇年代的一把德國小提琴。這兩把樂器除了琴頸角度之外都是一樣的。什麼都沒改變。什麼都沒有。

感覺挺驚人的。

對。更驚人的是沒有依據用來發展出小提琴的原型樂器。小提琴就是這樣完美無瑕地憑空出現。

所以你是怎麼理解這件事的？你之所以跟我說這些一定有原因。

這只是清單上的另一個謎而已。你無法解釋李奧納多這個人。或是牛頓，又或是莎士比亞。又或是名單上永無止境的其他人。嗯。大概不能說是永無止境啦。不過至少我們知道這些人的名字。但除非你願意承認神發明了小提琴不然確實存在一個我們永遠無法知曉是誰的人物。那個矮小的男人和他的兒子在十五世紀義大利的小冰河時期進入那座發育不良的森林鋸砍下楓木花七年將細木片進行乾燥然後某天早上站在他斜射入他店鋪內的光線中用一句簡短的禱詞感謝他的造物主然後——心裡明白這會是個完美的東西——拿起工具開始投入打造工作。口中還說著讓我們現在開始。

真抱歉。這位男士占據你心底很重要的位置吧。抱歉。

對。很重要。時間到了。

五

我以為你可能不會來了。
我的看守人花了比我們預期更長的時間才鬆開我的束縛。
你被束縛過嗎？
沒有。除了電擊治療之外沒有。
你之前沒有遲到過。
沒有。只有缺席。
你似乎很重視這件事。
守時。
對。
我是。
一切都還好嗎？
還行啦。算是吧。

沒有感到難受。
沒有。反正我幾乎都是開燈睡覺。大部分時候。
怎麼會決定這樣做？我說開燈的事。
我猜是因為有什麼在路上吧。
是指有什麼會出現嗎？
是這個意思沒錯。
在你反覆出現的幻想中？
為什麼是幻想？
所以是有東西在黑暗中接近。
對。
而你認為開著燈比較安全。
或者是讓那些東西比較容易找到我。
你不是認真的吧。
大概不是。
但你的確覺得黑暗中有些東西可能意圖傷害你。
對。你不覺得嗎？

不太有這種感覺。

這樣啊。人們害怕黑暗已經很長一段時間了。各種意義上的黑暗。黑暗總被認為是邪惡力量的一部分。但後來突然之間我們時代中的戰爭飢荒和瘟疫卻只被當作隨機發生的事件。這種想法能讓你比較好過嗎？

我可不會特別想住在一個遭到迷信統御的世界。我認為情況已經有改善。我認為事實上也已經改善了不少。

因為科學。

我不確定都是因為科學。

不是嗎？隨便說一個在二十世紀讓世界變得更好卻跟科學無關的事物。

我得思考一下。

沒關係。我只是故意表現得咄咄逼人。

你上次被放進自殺觀察名單是因為你似乎對死亡很執迷。

據說是這樣。

霍羅威茨醫生說的。有什麼特定事件引起他的警覺嗎？

我想我只是讓他緊張。我不確定他是怎麼想的。他這個人不是很坦率。有時他只是坐著觀察我。

是想要找到搞懂你的方法嗎？

我不知道。或許更像是想要嚇唬我吧。他始終不明白根本沒有嚇唬的必要。我只是把我腦中想的事都說出來而已。不只他人在現場不會改變我的狀態。就算不在場也沒差。治療師必須相信病患才是醫生。也必須相信她擁有關於她自己的真相。你怎麼想？

我想我同意這一點。

我想治療我對霍羅威茨醫生來說是個挫敗的經驗。他是你的朋友嗎？

我認識他。但不是很熟。你一直都沒有花太多時間跟人相處。

像是誰？

我不知道。任何人吧。就是你關心的人。你有花時間跟你哥好好相處嗎？

有。已經盡我所能了。我想我一直知道會發生什麼事。

嗯。有時人們確實會這麼想。尤其是在認定會發生的事真的發生以後。你是怎麼覺得自己知道的？

我就是知道。不是在事情發生後才假裝知道。

但你不想談你哥。

不想。

你覺得你對人誠實嗎？

你是指對你誠實嗎。

好。對我。

我想這代表你心裡有疑慮吧。

這樣說吧。比起確認事實細節我更想知道你在想什麼。

你對我來說只是另一個霍羅威茨醫生嗎。

我不認為。我主要的疑慮是就算你遇到了麻煩也不會坦率說明。

鮑比以前就這樣說。

他說的對嗎？

對。

你不想讓他擔心。

我不想讓他擔心。

你痛恨想要幫助你的人。

我痛恨想要矯正我的人。

你哥也是這種人嗎？

有時候。我想。光是說出來就讓我很痛苦。

你覺得他該把你一起帶去歐洲嗎？

我總之還是去了。

我知道。但我問的不是這個。

我知道。但答案就是這樣。

你不想談這件事。

不想談他。

我只是想知道他是不是跟你一樣悲觀。

不太算。又或者他覺得逗我開心也是他的責任。真要說的話我比他更樂意進行形而上的思考。現實的整體都缺乏感知能力嗎？我不知道。但他會覺得這個問題很蠢。

你是指這個世界本身擁有某種像是意志的東西嗎？

之類的吧。但這真的是好消息嗎？讓每個愚蠢的生物發現自己之所以獲得召喚存在只是為了跋涉過痛苦及匱乏的生命景觀並在最終邁向永恆滅絕都是出自這份意志的手筆？

但是這個答案，或說解決辦法，實在是老套到不行啊。

老套到不行。

你讀過幾本書？

哎呀呀。

哎呀呀？

我不知道。不是很多。

大概算一下。

大概一天兩本吧。時間總共十年多一些。這麼說吧。這樣是多少？七千三百本。很多嗎？可能還要更多。大概超過一萬本。就說一萬本吧。有時我整天都在讀書。一次讀上十八、甚至二十小時。

你記得你讀的所有內容嗎？

記得。不然為什麼要讀？

小子知道所有你知道的事嗎？

不知道。那未免也太容易了，不是嗎？

他聊的都是哪些事。

大部分都是胡說八道。中間穿插一些挺有趣的個人看法。有時候啦。但大部分內容就是你可能會認定為精神分裂者的發言。音韻連結[91]。押尾韻。這一切都沒有跟我的內在心靈世界呼應。反正你之後都要問我就先答啦。可是必須忍受他那些虛華的表演真的很累人。至少確定的是這個。而且我很確定他的出現改變了我。你無法在周遭現實變得扭曲的情況下不跟著變得有些扭曲。而等到真正意識到這一點時就算想做些什麼也太遲了。但反正一直以來都太遲了。就算已經真的有辦法做些什麼也一樣。而事實上也沒什麼可做。

所以他可能說什麼？舉例來說？

他可能會說牛奶是所有思想正常的**夜貓子**的首選飲料。又或者他會說如果有任何一件事是真的現在大家**不**就該會知道嗎？又或者說你**不**該擔心人們怎麼想你因為他們**不**常這麼做。又或者說為了怕你可能還**沒**注意到讓我告訴你我們幾乎稱不上光明的生物。又或者說暴風雨前是最黑暗的時刻。又或者問你閉上眼睛時我會消失嗎？會嗎？

會嗎？

會。我也一樣。

他的調調基本上就是這樣？

如果你能大概搞懂他的這種調調就已經比我懂太多了。他會談起科學可是通常都會講錯。他會引用別人的話但通常也會講錯。他有時會裝一些口音但裝得很差。又或者他會從一些我很確定**不**存在的文本引用一些段落。有一本跟女性情慾有關的《潮濕和怒氣》他就引用過很多次。你大可去試著找找看。他會談起即將上場的表演節目。但從未落實。使用的措辭也總是別具一格。

節目。

對。

91　這裡的原文是「Klang associations」，但比較常見的寫法應該是「Clang association」。

什麼樣的節目？

就是一些他想辦法找人來做的節目。一些歌舞雜耍啊。肖托夸表演活動啊。當然從來沒有人真正上場就是了。例如來自波啟浦夕的吉普賽人啊。或是來自伍斯特的公雞大人帶來的**農家鳥禽滑稽秀**。就像是從未正式上映的預告片。要是我提起這個問題他就會一邊來回踱步一邊揮舞他的鰭。他說你不太可能期待這些高端節目的演出團隊一彈指就出現。他會嘗試彈手指啦但當然他**沒**有手指結果也只是翻了一下他的鰭而已。

還有呢。

沒什麼可說的。他最後總會開始滔滔不絕地胡說八道。要是這些高談闊論中有透過編碼暗藏著真正有用的數據資料就好了但我已經聽了好幾年就算是圖靈也**無**法破解出其中奧祕。早期他確實有成功搬演出一場白人黑臉歌舞秀。當時我十二歲。他們說那叫月經秀[92]。為的是向我的月經致敬。那場表演品質悲慘的難以言喻。我幾乎只是蜷縮在床上解數學題。有時抬眼望去但所有人除了他之外都會消失。只剩他還在來回踱步。他會一本本看我架上的書然後建議我之後要讀什麼。不過那些建議當然也毫無道理可言。有些還很好笑。但對他來說大概不好笑吧。我確定從沒見過他笑。只有偶爾會假裝捧腹大笑。我有一次跟他說這是在浪費時間。我跟他說我想成為一個戰士。不是一種靈魂性的存在而是肉體性的存在。我是一個天生的古典主義者而我崇拜的英雄向來不是聖人而是殺手。而他會一臉嚴肅且滔滔不絕地談起那些遭到**長期盤據**的**地毯徽**要塞。

你開始把他當作某種守護神了嗎？這算是個怪問題吧。我猜。
我覺得到頭來我開始把他當作唯一還陪在我身邊的人。實在不是很令人放心的說法，對吧？
嗯。不是。確實不是。
你有做過跟他有關的夢嗎？
這是要強調他所處的代用現實可能會阻礙他進入我的夢境嗎？
之類的吧。代用現實？
你用其他稱呼也行。
你有做過令你困擾的夢嗎？
有其他種類的夢嗎？
有嗎？
有。我有做過令我困擾的夢。
對那些夢有任何想法嗎？
當然啊那個小蕩婦對什麼事都有想法。還有意見呢，別忘記。
我說錯什麼了嗎？

92 白人黑臉歌舞秀的英文是「minstrel show」，月經秀是「menstrual show」，兩者是讀音相似的文字遊戲。

不。是我自己的問題。

我碰觸到了你的敏感神經。

有其他種類的夢嗎？抱歉。只是如果要討論我的夢那我們就得重新開始。或許起身離開這個空間然後換套不同的衣服回來。

你打算穿什麼？

材質輕薄透明的衣服吧。雲朵藍吧我想。你呢？

你都記得嗎？你的夢？

大致上都記得。尤其是那些害我驚醒的夢，當然都記得。

為什麼有些夢會害你驚醒？

可能那些夢覺得你差不多受夠了？

可能你被告知了一些事。可是卻沒有被告知要如何應對，是嗎？

夢會把你驚醒是為了讓你記得。或許本來就沒什麼方法可應對。或許問題在於恐懼作為一種警告究竟是針對這個世界還是我們自己。於是這樣的夜晚你在自己床上滿身大汗地坐起身。你驚醒是為了避開你見到的某些事物還是你自己的本質？

那是最重要的問題嗎？

又或者真正的問題只在於為什麼心靈似乎總是傾向於說服我們相信一個其實不存在的現實。

你曾有一次表示無意識不太願意與我們進行語言層面的溝通。這背後有歷史性的原因嗎？我有說對嗎？

沒錯。

你願意多說明一些嗎？

我覺得**不**用。精神病學專家很難以直截了當的方式處理無意識。可是無意識是一種純然的生物體系，不是什麼魔法般的事物。無意識之所以是一種生物體系是因為事實就是如此。除非其中有牽涉到一定程度的噱頭不然人們**不**會樂意談論無意識。可是無意識**沒**有噱頭。無意識就只是一台用來運作動物的機器。不然還可能是什麼？我們的大部分行為都是出自無意識。把日常瑣事交給意識進行的風險可高了。鯨魚和海豚必須根據浮出水面的頻率來調整呼吸。所以一開始為了幫牠們做手術而進行麻醉時牠們當然會直接死去。這應該是可預期的結果。無意識是為了符合物種需求而隨著物種演化如果要說這當中有任何詭異的地方則是無意識有時似乎能預見那些需求。無意識**無**法承受任何意外。這是其中一件讓達爾文困擾的事。可是那些**靈魂醫生**完全搞**不**懂這些。他們打從骨子裡信仰笛卡兒學派。

所以牠們怎麼睡覺？

你是問海豚。

對。

睡得很好，我想應該是如此吧。畢竟是一些沒有背負罪惡感的生物。

不是。我是指⋯⋯

牠們每次都只有一邊的大腦半球入睡。

這是真的嗎？

天殺的裙襯裡的基督唷。小子一定會這樣大喊。

抱歉。難道牠們不會沉到水底嗎？

你忘記牠們還半醒著啊。又或者說牠們有一半是醒著。值得思考的有趣部分在於醒著的那半邊腦能否知道睡著那半邊腦的夢境。胼胝體會不會在晚上關閉功能？以及為何垂死海豚的最後一口氣不算自殺行為這個問題。其實應該是最後一口氣之後的那一口。也就是牠拒絕吸入的那一口。

或許我們該奮起回到白日世界了。

那就奮起吧。

我們似乎把形上學的討論放錯主題了。

這樣可能也好。

你覺得人的自我概念是一種幻覺嗎？

嗯。我想你也知道做神經學研究的人都認為答案是肯定的。我個人覺得這是個蠢問題。就算連貫一致的實體是由大量迥然相異的部分所組成也不代表——這是個普遍性通則——這些實體的身分認同勢必有經歷任何妥協或減損。我知道這似乎是無視我們將自我視為單一個體的認知。那個唯一的「我」。但我只是覺得這種觀點很傻氣。畢竟如果我們在構造上可以持續意識到自己如何運作的那我們就無法運作了。你甚至可能會問如果自我確實是一種幻覺那對誰來說是一種幻覺？我以為我們已經放下有關心智運作的話題一陣子了？

說的也是。你是由奶奶從幾歲開始帶大的？十二歲？

對。

你跟她疏遠了嗎？

沒有。當然沒有。

可是你們有些意見分歧。

她不知道該怎麼應付我。那不是她的錯。畢竟連我也不知道如何應付我自己。我以為我離家上大學能讓她鬆一口氣。我太專注於自己的問題所以沒看見她的問題。她開車載我到諾克斯維爾的巴士站。我帶了一個行李箱裡面幾乎都是書。我在月台上轉身擁抱她時她哭了於是我意識到她真的很害怕。

她嚇壞了。

對。

為你感到害怕。

為我。沒錯。

你當時幾歲？

十四歲。

你在兩年後離開了大學。

對。我畢業了。

只花了兩年。

還加上暑假的時間。那並不困難。我的博士申請計畫通過了但我卻打包搬到亞利桑那州的圖森。晚上在一間酒吧工作白天都在算數學。

那什麼時候睡覺？

每天大概睡五小時。其實應該是四小時。

你的年紀還不能顧吧檯[93]吧。

我有一張假駕照。

小子去哪了？

過一陣子後出現了。我那陰魂不散的小惡靈和他的朋友啊。我哥給了我一台車所以我會開車到山上把腳泡在溪水裡坐著處理代數拓樸的問題。我讀了諾特的論文那些內容寫得非常直接清

楚。龐加萊的論文當然也有讀。我讀了關於貝蒂群[94]的真正意涵。關於同調群。可是重點在於她是如何獲得這些結論的。我是指除了她比其他人都更懂抽象代數以外。我知道為了做到她已經做到的事你首先得要能相信這門學問。但這次好像不太一樣。直覺是個棘手的小東西。拓樸學很酷的地方在於你所處理的問題跟其他事物無關。你的希望是透過解決這些問題來解釋你提出這些問題的原因。你試圖找出的是仿射概念的真相。你真的可以用任何方式延展一個平面嗎？延伸到無限會如何？畢竟寬度會無限變窄。無窮小的極限是可以無限接近的嗎？數學或許會說可以但你並**不**相信。無限延伸只是讓原本有的變得更多可是無限收縮似乎會帶來一系列不同問題。至少在古典的理解中是這樣。你現在身處季諾的國度中。讓我們重新開始並集中注意力吧。

我**不**知道這些是什麼意思。

沒關係。更讓你煩惱的是拓樸學概念的數學基礎充滿爭議——又或者正如部分創立者所相信的一樣毫無基礎可言——但然後呢？你可以說這個學問擁有專屬於自己的邏輯，但這難道**不**就是問題所在嗎？如果你宣稱數學不是一種科學那也大可宣稱數學除了自己之外無須任何指涉物。維

93 原文重複了兩次，應該只是單純搞錯了？要再麻煩編輯確認。

94 貝蒂群（Betti group）是跟義大利數學家恩里科・貝蒂（Enrico Betti, 1823-1892）有關的概念。

根斯坦說服羅素[95]相信數學只是一種同義反覆後羅素就放棄數學了。

這是真的嗎？

我不知道。羅素是這樣說的。

你的看法也一樣嗎？

我不認為這是一個有辦法回答的問題。目前我猜我得說不同意。可是當時我已經離開那棟大樓了。而更深層的問題，也就是我們觸及過的那個問題，在於數學研究工作大多是在無意識中進行而我們目前還不清楚運作方式為何。你可以嘗試想像一個人的內在心智正在進行加法和減法的計算同時喃喃自語又抹掉一切重新開始可是頂多就是這樣。為什麼這樣常常能算對？人的內在心智會跟誰確認自己做的對不對？而我就這樣獲得了問題的解答。完全出乎意料。或許是藍斑核的關係吧。你的無意識必須什麼都記得。而且不靠筆記。我們很難擺脫那個令人不安的現實也就是無意識所進行的計算並沒有使用數字。

我不明白怎麼可能是這樣。

事實有可能不是如此。我是指無意識通常都會算對答案這件事。可能的真相是唯有正確答案會獲得回報。好一陣子前我在研討會上撞見一位有參與曼哈頓計畫的歷史學家。一個名叫大衛・霍金斯[96]的男人。我們聊起數學然後他告訴我他一開始會對歷史這門學問感興趣就是因為史賓格勒《西方的沒落》[97]第二章。那一章的標題是〈數字的意義〉。我問他史賓格勒的觀點是什麼他說他不確定。他說史賓格勒似乎迫切地想把數學作為計算能力以及年代學的兩件事清楚分開。而我認為此概念已經透過基數及序數建立完備但我猜想史賓格勒還有其他想追尋的目標。總之我弄來那本書讀了開篇第一章之後也跳著看了一些。就像大部分哲學家一樣——如果他能算是哲學家的話——最有趣的部分不是他的那些概念而是他心智運作的方式。我又多讀了一些之後才放棄不過我認為在我讀過的一派胡言中這還算是比較有趣的一部作品。我不認為你可以把他稱為古怪的傢伙。他懂太多了。而且那本書真的寫得很好。我想我會把他跟叔本華一起當作德國散文寫作的典範人物。他有一些說法很詭異。比如夜晚的數學？我想格羅滕迪克也有可能說出類似概念。可是格羅滕迪克是偉大的數學家。你得認真看待他。從對數學意義的探究展開這項關於他心目中歷史意義為何的長期研究是一個現代哲學家很可能採取的策略。維根斯坦有很大量的作品都在探討數學。但是其中很少作品有出版。

史賓格勒真的懂數學嗎？

我不知道。他沒向任何人提起過。一切都只是概念性討論。我不知道你怎麼能談起數字的意

---

95 伯特蘭・羅素（Bertrand Russell, 1872-1970）是英國的哲學家兼數學家。

96 大衛・霍金斯（David Hawkins, 1913-2002）是美國歷史學家。

97 這裡指的是德國哲學家奧斯瓦爾德・史賓格勒（Oswald Spengler, 1880-1936）所著的《西方的沒落》（*The Decline of the West*）。

義卻不提弗雷格。就算是在一九一七或一九年都不該是如此。但即便是弗雷格也沒有把所有細節徹底釐清。加法和減法並不算是真的數學。這種事只要有一麻袋小石頭就能做到。可是乘法和除法是另一回事。你用兩顆番茄乘以兩顆番茄並不會得到四顆番茄。而是會得到四番茄平方。所以那個代表平方的二是什麼？嗯。那是一個獨立的抽象數學運算子。喔？運算子是什麼？我們不知道。我們憑空捏造出來的。還記得我們在數學入門課裡提過這件事吧？

我不確定這裡的重點是什麼。

就是說啊。真正的問題是十萬年前有某個身穿長袍的人坐起身說了一句天殺的要命。之類的啦。畢竟當時的他還沒有語言。不過他才剛理解一個東西也可以同時是另一個東西。不是看起來像也不是表現得像另一個東西。而是成為另一個東西。是代表另一個東西。小石頭可以是山羊。聲音可以是物件。水的名字是水。那些因為我們經常使用導致看似微不足道的事物其實是文明的基石。語言、藝術、數學，一切都是。最終也包括世界本身以及其中的一切。

而我想其中最偉大的就是數學。

哎呀。畢竟我是數學家嘛。

所以上帝是數學家嗎？

上帝沒辦法算二加二。他需要處理的只有零和一。剩下是我們的事。不過克羅內克[98]可能不這麼想。或許我們該先擱置這個話題。

好。你離開學校去了亞利桑那州所以也完全放棄了博士班？

沒有。他們偶爾還是會聯絡我。

他們想知道你的情況如何。

他們想知道我的情況如何。

我猜你有一個指導教授。

有。她從來**沒**有嘗試聯繫我。

你們鬧翻了嗎？

沒有。但我**無**法真正信任她。

為什麼？

我發現她會同意一些她明明**不**了解的事。而且我讓她緊張。

這是你人生中常出現的主題。

我想是吧。

在你的數學生涯中也是嗎？

沒那麼常。數學家通常滿直接的。我想他們當中很多人甚至**不**真正了解所謂遮掩自己的想法

98 利奧波德·克羅內克（Leopold Kronecker, 1823-1891），德國數學家。

和情緒是什麼意思。他們就是一群怪傢伙，而別人理解他們的方式更怪。柴廷[99]說有人曾問他有沒有在關注真實世界發生的事。他們想知道他有沒有在看報紙。

你的工作進行得順利嗎？在土桑的時候。

基本上就跟所有注定要毀滅的事業一樣。朝著逐漸往下的斜坡移動然後陡然墜落。

我猜情況是有點令人沮喪。

也不完全是。我知道我要追尋的目標就在前方。做數學有點像逐戶推銷。你得學會如何應付拒絕。我把希爾伯特的數學難題一個個檢視過。不是為了解開那些難題而是要嘗試找出共通點。數學的領域一直在擴展而內容也在擴展的同時被篩選得更為精良。到了二十世紀初期的某個時間點終於變得沒有人能了解所有這個領域的內容了。康托爾據說是最後一位全面性的數學家。然後是龐加萊。然後就沒有了。總之，之前有些時候我會覺得自己的生涯可能要結束了。但同時我也從未質疑過自己的能力。我是我自己所知最頂尖的數學家。

所以發生了什麼事？

數學家通常會在你暗示他們數學真相反映的是某種次要現實時表現得怒氣沖沖。李政道在處理非交換規範場論時就遇到了一個叫做「纖維叢理論」的數學議題。這兩個理論其實是同一個理論。所以他跑去找他的數學家朋友請他們解釋這件事但他們不知道有什麼好解釋的。可是李政道表示規範場論是物理學理論所以是真的但纖維叢理論不是物理學理論因此不是真的。他的那些朋友很不高興並表示不不不那個理論是真的。拓樸學可以用來精準描述一些物理學實例無法說明的形式。然而拓樸學想法也不可能是一個抽象概念因為這樣就會有人問是針對什麼實例的抽象概念？總之，到了那年夏天的結尾我已經多少把自己卡入了一個困境。

好。所以發生了什麼事。

有三個來自東方的賢者。

什麼？

我拿到IHES的獎助金並在那裡認識了三個可以討論的男人。

你說法國的那間科學研究所。

對。

那些男人是誰？

格羅滕迪克、德利涅[100]和奧斯卡・扎里斯基[101]。

為什麼是他們？

99 格雷戈里・柴廷（Gregory John Chaitin, 1947-），阿根廷裔美國數學家。

100 皮埃爾・德利涅（Pierre Deligne, 1944-），比利時數學家。

101 奧斯卡・扎里斯基（Oscar Zariski, 1899-1986），猶太裔美國數學家。

因為他們是他們，因為我是我。

聽起來像是在引用別人的話。

確實是。蒙田[102]說的。

你的那位指導教授。她是否覺得你……我不太確定要怎麼形容。有點自以為是？

我想是吧。當然也因為她沒拿到ＩＨＥＳ的獎助金。

我想這個機構可說是名聲卓著吧。

沒錯。

你從未當面見過格羅滕迪克。

沒有。我寫了一封信給他然後他要我寄一篇論文給他我就寄了。

論文的主題是什麼？

是在闡釋我想他可能還沒想過的拓樸斯理論。而他確實沒想過。我當時不知道他已經快要放棄數學了。我不知道我剩下的時間不多。

你還好嗎？

我很好。

想晚點再回來聊這個話題嗎？

我沒事。

我們可以聊點別的。有什麼多少算是我們跳過沒談的？

我是女性這件事吧。

你是說在數學領域嗎？還是跟所謂**靈魂醫生**交手這件事。

都是。

那就先談跟醫生有關的部分吧。

女人經歷了許多跟瘋狂有關的歷史。從巫術到歇斯底里總之我們就是禍害。我們知道女性是因為被認定心理狀況不穩定而被宣判為女巫可是沒有認真想過因為聰明而遭到投石致死的女性數字——就算實際數字可能不多。我還**沒**被鍊條鎖在地窖牆上或被綁上柱子焚燒的結果並不是證明了我們文明的提升而是我們所抱持的懷疑主義傾向不停水漲船高。如果我們還相信女巫的存在那現在整個社會就還會在燒女巫。也勢必會有一堆長著**鷹勾鼻**的老太婆被綁上電椅。從沒有人談過女巫的刻板形象其實就是猶太人的樣子。我猜抱持懷疑主義沒什麼不好。只要能接受伴隨而來的一切就好。我很高興能被好好對待可是我知道這樣的現況仍不牢靠。當理性打造的世界最終遭到摧毀時理性也會隨之消亡。而理性要再回來會是很久之後的事。對了我們不是談好要輪流提問嗎？

102 米歇爾・德・蒙田（Michel de Montaigne, 1533-1592），法國哲學家。

我猜我只把這個規畫當作一種輔助性手段。就是幫助我們展開對話而已。請繼續。

真是老古董的措辭。

請繼續？

好。你有病患自殺過嗎？

有。一次。

是年輕女性。

對。

你有去參加葬禮？

很怪的問題。有。我有去。

情況如何？

跟你可以預想的差不多。或者說更糟吧。沒人願意跟我說話。

你本來覺得他們會跟你說話？

我希望他們願意。我只是努力做好我心目中認定正確的事。我可以理解他們的立場。我就是個不討喜的角色在角落徘徊。一個不受歡迎的客人。我從沒親眼見過任何人因為失去親友的哀慟而崩毀得如此徹底。我已經習慣人們對你充滿感激之情。而且覺得理所當然。謝謝你啊醫生。我從沒認真思考這件事。但責怪是一種深刻而頑強的情緒。我穿著我的黑西裝在那裡站了一陣子後離開。現在還是輪到你提問嗎？

你曾考慮換一種人生來過嗎？在其他地方？

我猜換一種人生就得換一個地方過。不知道欸。或許沒有吧。另一種人生？不同的職業？

或是完全放棄人生。

那會是你的選擇，我不會。

你是個很快樂的人。

我確實過得很快樂。

我還是小孩時會幻想自己住在很遙遠的地方。我總是在謀畫著如何抵達那裡。

那是個想像的地方還是真實存在的地方？

我想一開始是想像的吧。等你認真起來就會挖出地圖本來看。

最後你選了哪裡？

這裡。

你沒辦法在地圖本上找到海星聖母療養院。

我知道啦。我當時選的是羅馬尼亞。

羅馬尼亞。

對。

為什麼？

我的家人來自羅馬尼亞。我是說我母親的家人來自那裡。鮑比做過研究。那個一八四八年踏上埃利斯島的女人當時十五歲。她跟母親一起離開歐洲可是她母親始終沒抵達目的地。她沒有在上岸名單裡。乘客名單上沒有任何說明但她一定是死在海上了。有任何人在岸上接應這個女孩嗎？我不知道。

她最後怎麼會跑到田納西州？她有嗎？

我也不知道。她似乎十六歲就結婚了。鮑比想找到她在歐洲的家人。也就是我們的家人。但沒找到什麼資料。她所逃離的歐洲正陷入無止境的戰爭。當時甚至有猶太家庭一路穿越亞洲抵達俄國的海岸。手裡還提著行李箱。鮑比告訴皇家舅舅我們是猶太人時皇家舅舅命令他離開家裡。

他離開了嗎？

不。當然沒有。

這裡講的就是那位瘋掉的舅舅。

對。

他有反猶傾向。

反猶傾向是他最微不足道的問題。

那是你們家的姓氏嗎？我是指皇家？

不是。只是我們南方會取一些很怪的名字。本來可能是汪嘉之類的。我知道很怪。但皇家也還算是個合理的名字吧。當然你也會發現很多西班牙名字。至少在田納西是如此。比如卡洛斯啊。汪尼塔啊。汪汪叫的汪。

他們是哪裡來的？

他們是在墨西哥戰爭後被帶回來的。另外還有玉米粉蒸肉。他有天晚上爬到床上躺在我旁邊。

你的舅舅？

對。

你怎麼做？

我爬下床走到門邊對著樓下叫我的奶奶。

他怎麼反應？

他跳起來跑出門外。身上穿著短褲。整個人瘦巴巴的。

你當時幾歲？

十三歲。

你有跟你奶奶說嗎？

沒有。她要處理的問題夠多了。隔天早上下樓時我告訴他我還沒決定要不要告訴鮑比。這句話讓他整個人清醒過來。

你有告訴鮑比嗎？

老天沒有。鮑比知道會殺了他。

你哥很保護你。

對。非常。

他從來沒有爬上你的床。

我哥？沒有。我們的情況是反過來的。

你亂講。

好啦我從來沒爬到我哥的床上。

他為什麼開始開賽車？

因為他的技術很好。而且突然有了一筆可以應付賽車開銷的錢。奶奶很討厭他開賽車。但還是把所有相關剪報留下來。物理學家通常會培養一些對他們健康有害的嗜好。他們很多人都會去登山。有時那些行程大家一看就知道會有什麼下場。他去英格蘭從工廠牽了一台蓮花牌的二級方程式賽車。

我想他在義大利撞爛的就是那台車吧。

不如將話題繼續往前推進吧。

好吧。抱歉。羅馬尼亞。

沒錯。

你真的想去住在那裡？

對。我想。

你哥呢？

嗯。原本是這樣計畫的。

你當時覺得你哥會跟你一起去羅馬尼亞住？

我希望他願意。對。

他怎麼說？

他說這跟他原本想的不太一樣。

還有呢？

情況很複雜。

你跟你哥的關係如何？

你怎麼想？

我不知道。

我也不知道。你在問我們有沒有搞過嗎？

有嗎？

沒有。

還有呢？

關於這個主題？

對。

愛本身很有可能是一種精神障礙。

這句話是認真的嗎？

是。

你是這樣相信的？

可能是吧。又或許不是。有時候吧。畢竟那些文獻資料不是那麼振奮人心。我的過往經驗也一樣。

所以你愛上你哥了？

嗯，身為一個優秀的心理醫生你大概相信亂倫是獲得女孩芳心的好方法。

但你**沒**有亂倫。

不是。只是渴望。

你**不**想談這件事。

任何感情都有權獲得一點隱私。

好吧。

我知道田納西州的瓦爾特堡不是我該待的地方而且我覺得鮑比可能已經找到我該去的地方了。也就是我們兩個該去的地方。

你是認真的。

對。我甚至找到一間語言學校開始學語言。

你知道你的家人是從那個國家的哪個地區來的嗎？

不知道。我想住在山裡。距離城鎮不會遠到太不合理即可。或甚至就住在布加勒斯特。我需要圖書館。我想住在靠近河邊的地方而且還要有一艘獨木舟。

獨木舟。

很可悲，不是嗎？

我對獨木舟不熟。你沉浸在這個幻想中多久了？

我還沉浸其中。

有想過要停止嗎？

抱歉。不想。我這樣很好。

你之前住在歐洲卻沒去羅馬尼亞旅遊。

我不想去旅遊。我想去那裡。

或許這個話題該停在這裡。

約定就是約定。一點歇斯底里的情緒不該成為毀約的理由。

我們可以談談別的事。

鞋子和船隻還有蜂蠟。

你會在事前計畫這些討論內容嗎？

我確信我不是第一個想知道為什麼有人要為天花板打蠟的孩子。沒有啦。我都是即興發揮的。跟你一樣。

我會先思考一下。然後快速做幾條筆記。

你對這些錄音帶有什麼打算？

寫一篇論文，我是說如果一切進行順利的話。我想同意書中有註明。

不要逼我讀那篇論文就沒問題。

你很小就對世界抱持這麼悲觀的看法嗎？

你是說人會在青春期之前感覺世界灑滿陽光一片光明嗎？

我不知道，也許吧。

我不認為擔心世界對自己有什麼意圖有什麼不對。畢竟這世上的壞消息可多了而且其中一些很可能衝著你家來。

話說讓自己溺死在太浩湖這件事。你是有認真考慮過嗎？

挺認真的。我猜紀錄裡有寫。

是有提到。但你後來決定放棄。

對。

是什麼改變了你的心意？

女孩子不喜歡太冷嘛。

認真說啦。

我就是冷靜思考了一下。

不是很令人驚訝的作法。

我把過程中的生理機制想了一次。不是很令人安心。

你想聊聊嗎？

當然。隨便啦。

我們還有一些時間。

嗯。我首先理解到伴隨窒息出現的恐慌是一種返祖現象。那種現象跟大腦出現的歷史一樣古老而面對這種現象的你無能為力。你可能覺得你有辦法鼓起勇氣來處理這個問題但其實不行。這種恐懼足以推翻所有理智。這是我們跟老鼠共享的現象。你可以說害怕墜落是一種原始本能，可是那些曾經墜落並相信死期已到的登山客卻總表示自己經歷的是平靜與接納命運的感受。為什麼呢？

我不知道。

我想是因為反正也不需要做決定了。

做決定。

對。如果你打算溺死自己就得在某個時間點決定在水裡開始呼吸然後死去。你可以覺得那是個被迫做出的決定，但就算無法再憋氣一秒了都還是有可能再憋個一毫秒。而這當然不會是個選擇而是一個決定。你得做出殺死自己的決定。那個過程跟墜落死去完全不同。電影也從沒拍對過。那個過程中不會有踢腿或尖叫。你得以免去所有責任。你跟世界互不相欠。你確定要進行這種可怕對話嗎？

就看你。

好。我的想法是要去租一艘船。我坐在俯瞰著湖面的松樹林裡心想這湖水清澈的令人讚嘆這可真是個優點。畢竟你不會想把自己溺死在泥巴水裡。這是人們應該好好思考的事。我可以在腦中看見自己坐在船上把船槳收在船裡。到了某個時間點我會往四周看最後一眼。我身邊會有從五金行買來的一條厚重皮帶以及一個大尺寸掛鎖然後我會用皮帶穿過扣環對折把自己綁在船錨的鍊子上。我會把掛鎖喀一聲扣上後把鑰匙丟到船外。或許再用槳划幾下吧。你可不想沉下去後還發現自己手忙腳亂地在找鑰匙。然後我往四下看了最後一眼然後抬起船錨抱在大腿上把腳甩到船側外再把自己推入永恆。就是一瞬間的事。也是一輩子最重大的事。

可是你**沒**有這麼做。

沒有。首先東側湖岸的水深大概有一千六百英尺而且冷到讓人痛苦難忍。有幾件你一開始**沒**考慮到的事會因此發生。當然如果你有考慮的話一開始就**不**會去那裡。或是會在思考到最後決定不去。在往下沉的過程中，你的肺臟會開始萎縮。到了一千英尺深時兩邊肺臟大概只有兩顆**網球**這麼大。你會嘗試疏通耳道但只能感覺到痛。你的耳膜很可能會爆開而且真的很痛。有一種技巧是透過耳咽管將空氣強制送進耳朵但你身邊**不**可能有空氣讓你這麼做。所以你拖著一長條細細的泡泡漂浮著往下沉。本來在眼前的山脈逐漸消失。太陽以及上漆的船底不停後退。世界也不停後退。你的心臟剩下緩慢的滴答聲響。等你潛得夠深後會完全靜止下來。此時血液正在離開你的血管末梢匯聚在你的肺臟中。可是最大的問題才正要發生。你會在抵達湖底之前用完所有氧氣。就算身上有六十磅重的船錨——我最多只能應付這個重量——你還是無法很快下沉。如果以時速十二英里——那已經算挺快了——下沉代表每分鐘下沉一千英尺。就算你在跳下去前有深呼吸也一樣。這段過程帶來的強大傷害及壓力和寒冷還有逐漸減少的氧氣供給將為你帶來最後的致命一擊。總之，那會是抵達湖底的扎實兩分鐘旅程而且還可能超過四、五分鐘。你可不是一下子就能舒適地坐在湖底。

舒適地。

當然。至少你終於可以放下那個該死的錨。

你在想出這個做法的過程中享受嗎？

為什麼不享受？解決問題的過程總是很好玩。

我老是不確定你何時是認真的。

我知道。總之，到了這個當口你已經丟下船錨感覺船錨拉扯著你身上的皮帶而湖水冰到像是腦子凍結。你不太可能有辦法在此時保持理智但其實真的也沒差。等你終於放棄你那毫無意義的掙扎開始在水裡呼吸——周遭是極度尖刺的寒冷——你會體驗到的不只是純粹折磨人的那種痛苦。話說回來那或許還能讓你分心不去想你讓自己陷入的精神苦難，不知道啊有可能吧。你可以嘗試回想一下在寒冷冬天跑步上氣不接下氣時肺臟感受到的痛苦。那種時候你的呼吸速度會快到肺臟來不及把空氣變暖。所以你感覺好痛。現在把那種痛乘上天曉得不知道多少倍。再把水的熱容量和空氣相比。而且這種痛覺不會消失。因為你的肺臟永遠無法把你吸入的水變暖。我想我們在談的是超越任何尺度可衡量的折磨。沒人曾經親口訴說過這段過程。而且那種折磨是永遠的。只屬於你的永遠。

一個美好的春日你坐在俯瞰湖泊的樹林中但腦裡想的是這些。

就是這些。

還有呢？

當然還有一些未知的地方，我指的是在整個過程中。由於湖底幾乎都是小碎石所以船錨觸地時不會揚起一波波淤泥。周遭是全面性的靜默。我不太確定下面有什麼。或許是前行者留下的屍體吧。那些你不知道自己擁有的家人。由於那裡深度夠深所以就算水很清澈光線還是很微弱。一個冰冷灰白的世界。但還不到全黑。沒有生命跡象。唯一的顏色來自從你耳朵滲出且正在逐漸擴散消失的淺粉色血液。我們不知道會不會有作嘔反射但早已下定決心要搞清楚。

下定決心。

下定決心。一旦你的肺臟裝滿水這種痛覺會減弱嗎？還是會讓你作嘔？不知。從來沒有人親口訴說過。理論上自律神經反射會讓你把水咳出來但你無法這樣做因為水太重了。而且當然四周除了更多的水之外沒有任何東西可以取代你肺裡的水。在此同時缺氧及氮醉開始剝奪你的理智。你坐在彷彿冰川般的湖底肺臟壓著像加農砲一樣重的水而且胸口因為寒冷造成的疼痛已經跟火燒無異你在痛苦中作嘔儘管心智已經變得模糊卻還是被極度返祖性的恐懼牢牢箝制住對此你毫無掌控力而就在此刻一個新的想法沒來由地出現在你腦中。這種極度的寒冷或許可以確保你在一段不知多久的時段內活著。或許是幾小時，無論你最後有沒有溺死都一樣。你可能會篤定地假設屆時你已失去意識但你知道嗎？萬一沒有呢？隨著一切已成定局不該這麼做的原因卻逐漸在你腦中累積最後你也只能哭著胡言亂語著祈禱著自己可以趕快下地獄。總之，我坐在樹林中吹著輕柔的風同時很清楚自己不會跳下去了。或許我這輩子是個壞人，但也沒那麼壞。我站起身重新走向我的車子然後開車回舊金山。

你本來驅車前往太浩湖時是帶著要結束自己生命的明確想法？

對。

還有呢。

沒有什麼了。我有想過寫下我的發現。我覺得那些決心溺死自己的人可能會遭遇到這類慘烈意外而我想說的話或許可以改變他們的心意。

你有用這種方式分析過其他自殺方式嗎？

不太有。也沒有那麼多方式可分析。有些做法不用深入分析就已經殘忍到令人一看就很痛苦。比如自焚。就是聊舉一例啦。

你應該不肯告訴我你是否覺得自己有這麼做的風險吧。

你是說自焚嗎？

不是。我……

我只是在開玩笑。

喔。

我以為我們已經決定我是個有風險的人。又或者說你們早就決定了。

你分析這一切時你哥在哪裡？

義大利。

所以這是很近期的事。

對。你應該直接問我你想知道的問題。

很多時候你都不肯回答。特別是跟你哥有關的問題。

我知道。

你有思考過其他做掉自己的計畫嗎？

認真的計畫嗎？

任何種類的計畫都行。好吧，不然就聊認真的吧。

我一直都希望自己最後不要被發現。如果可以在無人知曉的情況下死去那大概是最接近打從一開始就沒有存在過的狀態。我想過駕駛一台將大型舷外機扣在船尾橫樑桿上的橡膠筏出海駕駛到沒油為止。然後把自己鎖在舷外機上吞下一大把藥丸再把所有充氣閥門稍微打開後躺下入睡。

你大概會需要一條毯子和一顆枕頭。畢竟橡膠筏的船底會很冷。

又是冷的問題。

對。

總之，大概幾小時或更久之後橡膠筏會往下對折把你帶入海底從此無人得見。大概就是這樣。

大概就是這樣。

嗯哼。

這是一個還在進行中的研究嗎？

我不該把這些都告訴你，對吧？

沒什麼不行吧。

講了只會讓你擔心。沒有任何好處。

意思是我對此無能為力。

欸。我認為基本上大家對所有事都無能為力。

雖然這些看法都很慘淡無望但你其實不太有表現出臨床上的憂鬱症狀。

我知道。你說過了。我的福杯滿溢[103]。

你是否相信你的悲觀情緒源自你理解世界的方式還無法受到他人理解？

這是陷阱題嗎？

我不認為。

我想普遍來說人們對世界發展出了一種合理的理解方式。要是沒有的話我覺得我們不會存在於此。

這話說得像個達爾文主義者。

確實是。有些天賦是人們寧可不想要的。我猜想人們暗自懷疑唯有在我們願意除去那些邊緣人後我們的共同過去才能保證一個共同的未來。就是要一個個把他們除去。而且是一出現就動手。擺脫他們。囚禁他們。反正就是這樣。

我們正在接近一個……怎麼樣的世界？Archatron的世界？

我**不**知道。**別**那副模樣。我真的**不**知道。

那個存在於大門後方的鬼怪。你一定多少有感應到吧。

像是什麼樣的感應？一陣惡風吹來？大片黑暗降臨？

就是感應到Archatron本身。

我想是有吧。我原本叫他拉丁文的Imperator[104]。當時十二歲的我對語言很著迷。但我只有看見那座大門還有門前的守衛。我**無**法看到後面有什麼。

他們有警告你後退嗎？

103 此句「我的福杯滿溢。」（My cup runneth over.）引用自希伯來《聖經》的詩篇23:5（Psalms:23:5）。

104 Imperator這個拉丁文是古羅馬的最高統治者的意思。

有。

他們怎麼警告你？

他們像是老鼠的冰冷眼睛向我掃過來。這是我透過一個我本來不該找到的門孔看見的。不過話說回來我從沒去過那裡。所以他們看見我時很驚訝。總之，針對這個世界抱持的觀點不會只因為基於單一推斷導致全都是錯的。又或是因而一定有產生什麼誤解。許多迄今為止不為我們所知的真相都是透過單一見證人的證詞進入人類的認知領域。

你覺得人們普遍來說是否有可能對任何事物都抱持著相當陰鬱的觀點呢？只是他們都壓抑住了？

是啊。你不覺得嗎？

我不確定。

人們比起機運更相信命運。許多士兵真的相信外頭有顆刻著他們姓名的子彈在等著他們。我認為大部分人不只相信有一本命運之書的存在甚至是相信有屬於他們自己的命運之書。他們相信命運有轉圜餘地，世間也有可以接受他們禱告的各種神明存在。可是機運如同字面所指純屬偶然。

你相信有屬於你的命運之書存在嗎？

只相信我自己寫下的那一種。而這當然可能也只是一種幻覺。總之，這幾乎不算是個問題。

下週四的十點我勢必會在某個地方。反正不是活著就是死的。我在那個時間點出現在那地方是鐵一般確定的事。是這個世界上所有事件的總和。我不會出現在別的地方。就算事前對此一無所知也絲毫不會改變這個結果。

鐵一般？

另一個南方講法。

你覺得你算無神論者嗎？

天哪不是。過往時光多美好啊。

我不知道你說這話到底是不是認真的。

就是說啊。我也不知道。能說什麼呢？我就是個摩登女孩嘛。

好吧。我也認識過幾個摩登女孩。你在我看來不是非常符合摩登女孩的形象。你想結束會談了嗎？

我看起來不開心嗎？看來我需要拿出更堅強的意志力。我沒事。長久以來我都懷疑我們或許根本沒有能力去想像那些我們理應承擔的畫時代惡行而且我認為至少存在一種可能性是現實結構的本身就內含著某種類似形貌的事物而我們的骯髒歷史不過是這些形貌的蒼白倒影。我想那應該是柏拉圖有思考過但卻無論如何都表達不出來的事。我從你的表情可以看出你終於得以瞧見瘋狂在最初孕育出來的時刻了。

我在聽。我想這代表你從未真正見過Archatron。

我從未想像這種東西是可看的。

可看的。

對。

所以跟「可見的」意思不同。

我不知道他是否可見。我只知道我看不見他。應該說看不見那個「東西」。

我們之前討論過這件事。或是類似的主題。

我知道。

這支商隊不停往前推進呢。那只是某種邪惡的原型。

一個披上不同外衣但令人困擾的概念。

所以是什麼的原型。

我不知道。我猜可以指涉的分類清單會很長。

誰先出現的？Archatron還是小子？

那個大傢伙。我想他甚至可能是小子後來出現的原因。

小子曾經透過任何方式提起他嗎？

沒有。

你有跟你哥談過Archatron的事嗎？

有。我有。

他怎麼說？

他說他以為拘束衣只有一個尺寸但也不太確定說不定其實是有小、中和大的不同尺寸而他得查查看。

他不可能這樣說。

是沒有。他聽了很擔心。他認為人們很常妄想只是不願承認。但有妄想不一定代表瘋了。特別是當時才十二歲的我就定義上來說已經是個瘋子。但總之他很擔心之後也覺得我的世界觀可能有影響我進行數學研究的方式。格羅滕迪克說大概在二十世紀的某個時候開始數學界的道德判斷力開始變得薄弱。鮑比覺得那種討論很蠢可是我問他是否真的清楚格羅滕迪克的意思時他只得承認他其實不明白。等到格羅滕迪克離開ＩＨＥＳ時整個人的狀態已經變得很奇怪所以鮑比覺得他可能對我造成某種有害的影響——這當然不是真的——他也說我應該重新考慮提交我的論文。

他讀了你的論文。

他讀了三個不同版本的草稿，其實。

他看得懂嗎？

基本上都看得懂。他知道有什麼問題。

所以問題是？

就是沒有人看得懂。

你不會是認真的吧。

其中的問題在於雖然我的論文闡明了拓樸斯理論的三個問題但接著又開始拆解闡明過程的機制。這個拆解倒不是突顯出這些闡明過程完全錯誤而是這類過程總是忽視自己的問題。另外順帶探討了有關數學實在的常見主張。

對你來說數學已經成為一門可議的學問了。

我想到戴維・玻姆[105]。他寫了一本有關量子力學的優秀好書——主要是因為愛因斯坦害他對這個理論變得半信半疑。他想把腦中的想法化為紙上文字。而等他寫完這本書時已經不相信這個理論了。

寫論文讓你變得懷疑數學。

至少對我沒有幫助。

你哥擔心你的心智狀態嗎？

你是指他認為我瘋了嗎？

算是吧。

是指一般人口中的那種瘋還是臨床上的定義？

臨床上的定義。

我想沒有。但可能他愈是認真思考就愈擔心說不定我沒瘋。

代表可能有其他更糟糕的問題？

對。

比如說「萬一她是對的怎麼辦」。

我不知道。鮑比對這一切都不是很高興。所以我不再講這些事。可是到了那個階段他已經放棄假裝對玻璃另一邊的生活真實性感興趣反而只對如何擺脫那所謂的真實性感興趣。而那時的我反而不太確定我想這麼做。我是指擺脫真實性。

為什麼。

因為我知道我哥不知道的事。我知道世界的表象之下有著難以抑制的恐怖而且始終如此。現實的核心深處有著永恆存在的**惡魔元素**。所有宗教都很清楚這件事。而且那種惡魔元素不會消失。我還知道任何人想像那些在本世紀爆發的恐怖事件只是偶發事件或者不可能再發生只是一種愚蠢。

你有跟你哥這麼說過嗎？

105 戴維．玻姆（David Bohm, 1917-1992），美國物理學家。

有。我說了。

他怎麼說？

他靠過來把手放在我的額頭上。好像想確認我有沒有發燒。

真的嗎？

真的。

你應該不覺得好笑吧。

不會啊，我覺得很好笑。

他一定很擔心你拿不到博士學位。

對。他是。

你真的有提交嗎？

沒有。我甚至沒有把所有的課上完。我認為集合論把我變成了一個異端。龐加萊說集合論是一種病，希爾伯特則認為是天堂。至少如果你把集合論納入當時康托爾的整體研究體系來說是如此。可是真正進行實際田野挖掘工作的人是黎曼。不只一個看見他在做什麼的數學家明白他的意圖就是用一根木樁刺穿歐幾里得的心臟。

他為什麼會想這麼做？

因為他不喜歡他。他不喜歡他的妻子他的孩子和他的狗。

我猜一定是跟數學公理有關的原因吧。

不是。是跟現實有關。你從一個沒有維度因而沒有現實的「點」開始並從那裡開始延伸出一條線。從烏有物開始進行的延伸最終能變成什麼嗎？你得這麼說。但你無法證明。

黎曼有證明出來嗎？

你要這麼說也行吧。人們普遍假定萊曼的三角形內角總和超過一百八十度是地球表面曲度造成的結果。可是那些圖像都是抽象的。這些東西不存在於地球上。嗯，有可能存在於太空啦。太空是會彎曲的。對喔真的會。不過萊曼不知道就是了。

我不確定我明白這段話裡的重點是什麼。

這不是「點」的雙關語吧，我想。沒關係。其他也都不是。我們應該奮起推進了。

在哪裡呢？那份論文。

某個地方的垃圾掩埋場吧。

真的嗎？

真的。

但你可以重寫出來。

我可以。但不想。

你哥可以接受這個結果嗎？

不行。他很不高興。

儘管他覺得論文內容毫無道理可言。

他沒有說內容毫無道理可言。整個論點是從形式過渡到結構並讓整個原本被稱為學科的數學開始成為一個疑問。

我不確定我理解你在追求的是什麼。

我知道。最後我們面對的問題變得像是當你在探詢形狀和形式的本質時你在討論的到底是什麼。最後一個段落的標題是「化腐朽為神奇」。結尾時並沒有寫上代表證明完畢的QED。

那是數學用語嗎？化腐朽為神奇？

不是。那是魔術演出的第三步驟。描述的是你剛剛看到只剩半截身體的女性走出來對群眾鞠躬的那一刻。

你把你的數學比喻成魔術表演？

對。

但當然你不覺得數學是魔術吧？

我覺得假如你不了解那數學就會變成魔術。隨著你懂的愈多那其中像是魔術的成分就會愈低。然後當你意識到在某種明確的意義上你永遠不可能理解數學那麼數學又會變得像魔術一樣神奇。大部分人會接受他們內心有惡魔的存在。但不是所有人。楊格就提過一個案例透過這個案例我們知道異常精神狀態可能本身不是疾病而是一種抵禦更嚴重疾病的保護機制。我們知道意識永遠不會在死亡之外的情況真正歸零。他有一個在波克羅次立精神病院的病患在昏迷中陷入一種嚴重的疾病。這個疾病一直持續到他坐起身開始使喚護理師。他一直使喚護理師直到他復原。然而卻在復原後又陷入沉睡。而且再也沒有醒來。我甚至不知道這個故事是不是真的。應該是吧。就算只是因為這個故事比榮格本人聰明也行。畢竟榮格那傢伙說到底還得雇用別人來為他考醫學院的數學考試呢。總之答案是肯定的。我確實認為他是被派來的。其他解釋都說不通。

抱歉。我已經搞不清楚我們在講什麼了。

小子。

喔。對。那他是被誰派來的？

我不知道。跟是否有任何其他現實存在的那些深刻問題相比他並沒有更神祕。跟數學相比也是如此。就此而言。各種形式在無名的虛空中旋轉。從無法計算的淒涼海洋中打撈上岸。時間到了。

六

早安。
早安。
你看起來不太一樣。
臉色呆滯蒼白。雙眼無神。你看起來倒是有點激動。
我能抵達這裡算是幸運了。路況有夠糟。
你因為謹慎所以不太談論你自己。包括你的生活。或許你不該如此墨守成規。
嗯。我跟你說過我已婚。兩次都是跟同一個女人。有兩個孩子。你還想知道什麼？
你女兒叫什麼名字？
瑞秋。
很美的名字。也是個憂傷的名字。她幾歲？
九歲。
她是什麼樣的人。

不是個憂傷的孩子。

只是還沒成為。

你**不**覺得這樣說很怪嗎？

我認為人們會以對孩子的期望來為他們命名。如果她的名字是多莉那會是怎麼樣的人呢？會很體貼。

她很體貼。沒錯。

又高又瘦。深色頭髮。很聰明。喜歡貓。對她的小弟很嚴厲。只有在他傷害自己的時候除外。畢竟是她先來到這世界的嘛。

你可以在雜耍秀上表演這個能力。

說不定之後我能見見她。她有來過這裡嗎？

沒有。我想**沒**有。沒有。她**沒**來過。

你該發問了。

換我了嗎？

對。

好。你可以跟我說些從未跟別人說過的事嗎？

沒跟任何心理分析師說過的事。

好。沒跟任何分析師說過的事。

多得不得了。

就說件帶有一些特殊意義的事吧。任何曾出現在你腦中的事。或許就是個本來想提起但終究沒說出口的問題。

你覺得我們快沒時間了。

我不知道。是嗎？

不知。

不需要是你的私事。甚至不需要跟你有關。

那要跟誰有關？

什麼都可以。可以是一個你做過的決定。或是你意識到的事。

意識到的。

對。

真是個奇怪的說法。字面上來說代表你認識到某個意念真實存在。但如果我跟你說個漫天大謊呢？

為什麼你會想說謊？

我不會。我只是說如果。我認為你基本上會相信我告訴你的所有事。

我太信任你了嗎？太好騙了？

不會。我想你大致上沒做錯。

請說吧。

我開車上路。那是趟跨區的長途旅程。我花了好幾個月在這個國家開著車到處遊蕩。過程中在**貨車休息站**吃飯沖澡大多時候都睡在車上。

也有做數學嗎？

沒有。我讀了很多書。我在愛達荷州的樹城還是某個地方入住了一間廉價旅館然後窩在那裡。我把車子停在一個商場**停車場**裡但把點火線圈帶走。

目的是什麼。

窩在那裡本身就是目的。我每天讀四、五本書。有些我想找的書已經永遠絕版。所以我會假造大學學生證以獲得圖書館的借書卡。我還讀了一些四十年**沒**人借過的書。

這時鮑比在哪裡？

我**不**知道。我想大概開車在這個國家各處把金幣兌換成現金吧。

那小子呢？

他偶爾會出現。狀態通常不太對勁。有時我會在一個旅館房間內醒來但幾乎不知道自己怎麼來到這裡。我只是穿著衣服躺在床上。而小子會在一旁來回踱步說著像是我們身上已經**沒**什麼摳摳[106]但總之還是搞到一個房間之類的話。但我們要保持低調。好好思考一下眼前的情況。我覺得自己像亡命之徒約翰・迪林傑。什麼情況？你到底在講什麼？你意識到自己有好幾天沒有洗澡或進食了。你不確定你的車子在哪裡。你下樓走到街上發現天氣很熱。早上的時間剛過一半。你走到街角那裡有個小報攤你看了一眼發現攤上有賣《邁阿密先鋒報》。好。至少有了第一條線索。你回到房間但小子已經不見了。你爬上床把被子拉到身上。你什麼都不用做。距離退房還有幾小時時間。沒有人來敲門。後來我發現我已經付了一週的房間費用。下午我出門發現車子停在一個計時車位但投錢預付的時間早過了所以擋風玻璃上塞著一張繳費單。我把我的車在一條條街道上移來移去。從這個停車收費錶旁停到另一個停車收費錶旁。同時收到一張又一張的繳費單。我去了一間家庭式雜貨店買了一些番茄起司和有的沒的。還有衛生紙捲。然後回到我的房間但小子似乎真的離開了。其實這種生活滿酷的。只是偶爾會有醉漢在詭異的時間跑來拍門。堪薩斯州的托皮卡有間旅館的**櫃台人員**白目地問我是不是那種上門工作的女孩我要他好好看看我然後捫心自問如果我是妓女的話怎麼會淪落到這種破地方？

他怎麼說？

他說我懂你的意思。

你覺得這段旅程之後的發展是什麼？

我不知道會有什麼發展。我覺得我最後可能還是會淪落到這裡吧。我曾有一次把車停在這裡的**停車場**然後睡在車上。可是到了早上又開車出發了。

你**沒**有任何朋友。在任何地方都沒有嗎？

沒有。

你說你在高中時沒朋友。

我被選為高三的年級主席。可是我想他們只是想看選我會發生什麼事。

結果發生了什麼事？

沒什麼事。我當時已經準備要去讀大學了。而且話說回來，我才十四歲。

你有跟你哥說過你有共感覺的能力嗎？

有。他有問我。

他有問你？

對。

他怎麼會想問你？

因為鮑比非常聰明而且懂很多。他看得出來我很可能是有這種能力的人。而且他知道有共感覺的孩子通常都不會告訴別人因為其他孩子會覺得他們很怪。

---

106 這裡的原文是「dough」，是「錢」的一種說法。

他有共感覺嗎？

沒有。或許算是有一點點吧。他有過幾次經驗但那不是常駐在他生活中的能力。總之，在那之後我把什麼都告訴他了。

你跟他說了小子的事。

對。他回家後的整個夏天都待在屋子裡那真是一段最美好的時光。我擁有的最後一次美好時光。當時我已經拿到那年秋天要去芝加哥的獎助金。他回家後我們開始約會。

你們開始約會？

我不知道還能怎麼形容。我們每天晚上一起出去玩。

你們一起出去玩？

他以前會帶我去諾克斯維爾郊區的那些廉價酒吧。印度搖滾酒吧啊。月光餐館酒吧啊。我會穿得很浪蕩瘋狂跳舞。鮑比則會跟樂隊一起演奏。他會用曼陀鈴琴參與各種樂器的分解聯奏。我跟大家說我們結婚了。省得人們拿我們的關係惹事。我好愛這樣。你確定想聽我說這些嗎？

沒問題啊。為什麼問？

之後可能會有一些猥褻的部分。

你當時幾歲？

十四歲。剛滿十四歲。

你跟別人說你和你哥結婚了？

他們不知道他是我哥。大部分人不知道。

他不介意你這樣說嗎？

我想是吧。反正本來就是當笑話說的。

或許我該問的是你是否確定要繼續這個話題。

都講到這裡了。

因為我猜對你來說那不是笑話。

不是。

你還有什麼想補充的嗎？

就只有我真心想跟他結婚吧。你可能已經猜到了。我一直都很想。不是很複雜。

你想跟你哥哥結婚？

我希望我跟他已經結婚了。對。

我懂了。

我懷疑你真的懂。總之，這現在已經無法保密囉。

你有跟你哥說這件事嗎？

有。

你跟他說你想跟他結婚。

對。我跟他求婚。

你跟你哥求婚。

對。

你是認真的。

非常認真。

他怎麼說。

他要我清醒一點。

你當時喝酒了嗎？

沒有。我不喝酒的。我只是表達我的想法。

你不覺得這個想法有任何不對勁的地方？

我認為我們真正遇到的問題並不是這件事不被大家接受。我知道他愛我。他只是害怕。我很早就知道這件事遲早要發生。不可能有其他結局。我知道我們得逃走可是這些我都不在乎。我在車裡吻了他。我們吻過兩次，其實。第一次非常輕柔。他拍拍我的手假裝那只是個純真的吻然後轉頭發動車子但我用手扶住他的臉頰把他轉向我於是我們再次接吻這次就一點也不純真了他幾乎喘不過氣來。我也是。我把臉埋在他的肩膀上他說我們不能這樣。你知道我們不能這樣。我想說我才不覺得有什麼不行。我真該這麼覺得才對。我親了他的臉頰。我不相信他能堅定拒絕我但我錯了。我們再也沒有接吻過。

你一直都是認真的。

對。

你甚至在那個關鍵的夜晚之前就已做好所有決定。

那個關鍵的夜晚。沒錯。而且在那之前的好幾年就已經明白一切。我跟他說我不介意等。然後我開始哭。我無法停止哭泣。

你真的覺得你哥會跟你結婚？

對。我覺得會。他應該這麼做的。

你也會願意，怎麼說呢，一起跟他住在別的國家？

對。

你不覺得你可以找到別的對象嗎？

沒有別的對象了。永遠不可能會有。這世上也沒有其他適合他的對象。他只是還不知道而已。

你意識到你愛上你哥的時候是幾歲？

大概十二歲吧。說不定更小。對更小才對。走廊那件事發生的時候。

然後你就義無反顧了。那句老話是這樣說的吧。

這不容易解釋，但我其實明確知道自己無法針對這件事發展出其他觀點。他因為上學離家而我的人生目標就是等他回家。比如聖誕節之類的。

而就在那關鍵的夜晚你跟他坦承了一切。

對。

你難道不知道他會如何回應嗎？

我不在乎。總得先有個開始。

而他或多或少表現出的拒絕態度並沒有絲毫改變你的心情。

沒有。我問他覺得我該跟誰結婚但當然他無法回答。他不停說我才十四歲可是我跟他說他才是那個講話毫無道理可言的人，不是我。要是我們當中有人死了呢？誰能仰賴永遠？

你哥那時候幾歲？

二十一。

沒有女朋友嗎？

他有嘗試。但始終沒什麼進展。我也不嫉妒。我想要他跟其他女孩約會。我想讓他看清現實。

現實就是他愛著你。

對。我就是他的骨中之骨[107]。太可惜了。我們就像地球上的最後倖存者。我們可以選擇投身追隨腳下數百萬死者所抱持的信仰與習俗又或者我們可以重新開始。他真的有必要考慮嗎？憑什麼我要在愛中孤身一人？又憑什麼他要孤身一人？我跟他說如果我無人可愛也沒人愛我那我甚至不確定我的內心能否相信正義存在。你無法真正相信一個內心無法共鳴的真理。如果在愛裡孤獨你的價值要反映在哪裡？死後又有誰能為你說話？

抱歉。我**不**是故意要惹你哭的。

我想你確實**沒**有這個意思。

你想停止會談嗎？

不用。

還有什麼？

我跟他說我想生他的孩子。

你跟你哥說你想生他的孩子。

聽著。你不需要像是為了立體呈現出這些話的恐怖與瘋狂而不停對我重複我說的話。你看不

107 此處的「骨中之骨」（Bone of his bone）引用自《聖經》創世紀2:23：「那人說：這是我骨中的骨，肉中的肉，可以稱他為「女人」，因為他是從「男人」身上取出來的。」

見我眼中的世界。你無法透過我的這雙眼睛去看世界。永遠無法。

我想你說的確實沒錯。

我跟我哥說我愛上他了我之前一直愛他之後也會愛他直到生命盡頭而他是我哥這件事並不是我的錯。你可以把這當成是我運氣不好。我跟他說他應該放棄。

放棄？

對。放棄他的哥哥身分。

這要怎麼做到？

我不知道。原地轉三圈後宣布廢除這段血緣關係。

然後跟你結婚。

然後跟我結婚。沒錯。不過我真正想說的其實更赤裸一點。

意思是你想跟你哥上床。

是這樣沒錯。

亂倫的污名對你來說毫無意義。

你指望我說什麼？說我是個壞女孩嗎？韋斯特馬克對我來說算什麼人或我對韋斯特馬克來說算什麼人[108]？我想跟我哥做那回事。我一直都想。現在也想。世上多的是更糟的事。

你一定也看出這對他來說是某種折磨。

我知道。我只希望他能趕快想通。我希望他能突然理解這個他一直以來都心知肚明的結論。我猜我的想法是丟下一顆震撼彈好讓他別再過著自以為滿足的安逸日子。我打算握住他的手。我打算在他開車回家時緊貼在他身旁把我的頭靠在他的肩膀上。我猜我這樣很無恥但羞恥心並不是我真正在意的問題。我知道我只有一次機會跟一份真正的愛情。而我也沒搞錯他的感情。我有看見他看我的眼神。

你是如此確定。

對。春假時我們去了亞利桑那州的巴塔哥尼亞住進一間旅館我完全睡不著於是去了他的房間坐在他的床上我以為他會環抱住我吻我但他沒有。在那晚之前我並不知道肉慾的最糟糕狀態跟極度痛苦的感受如此接近。我以為那頓晚餐已經有改變什麼但其實沒有。我開始擔心要是我死了他會覺得是他的錯而這樣的擔心始終盤旋在我心中。有個朋友曾告訴我任何人只要選擇了一份永遠不可能實現的愛就會不停受到無從熄滅的怒火追趕纏繞。

你被激怒了嗎？

108 這裡的原文是「Who is Westermarck to me or me to Westermarck?」，改寫自《哈姆雷特》戲劇中的台詞「What’s Hecuba to him or he to Hecuba/ That he should weep for her?」，這個段落是哈姆雷特看見舞台上的演員因為赫卡柏王后而淚流滿面，因此大感震動。

我不知道。我知道你可以透過各種方式充分說明所有人類的憂傷都是源自不正義。憂傷是怒氣宣洩後發現自己仍無能為力的結果。

我們何不來點茶？

我讓你壓力這麼大嗎？

給我一點時間。

慢慢來吧。我就來讀讀你的筆記。

——

你還好嗎？

沒事。

好吧。來談你一無所有這件事。

好。

剝奪自己擁有的一切可能是你準備好面對死亡的方式嗎？

我不覺得有任何方法可以讓你準備好面對死亡。你只能自己創造出一個方法。擅長面對死亡在演化上沒有優勢。這個優勢可以留給誰？你所交手的對象——時間——沒有任何可塑性。你愈想留住時間只會失去愈多。生命之酒正一滴滴漏在地上。你得加緊腳步。可是匆忙本身就會耗損掉你想保存的事物。你就是無法應付你被派來這世上交手的對象。這實在太難了。

我不反對這個說法。我想。不過我大概無法說明地如此精巧。或是不願意。

精巧。這是暗示有歇斯底里症狀的密語嗎？

不。我想你不會認為你哥跑去賽車是為了求死吧。

不。我對胡說八道沒有興趣。

你說有些物理學家會開始登山。

對。可是那種作法對他不管用。

為什麼？

因為他不怕高。這樣做毫無意義。

他怕什麼？

太深的地方。

他害怕飆速開車嗎？

我沒遇過賽車手害怕飆速開車的。他們都覺得會把車撞爛的一定是別人。賽車界有句老話的意思大概是說開快車不會害死你除非太快停下來才會。沒有人直接說出口但這片陰影一直盤旋在大家心裡。有張照片是妮娜．林特兩年前在蒙扎拍的。她穿得很漂亮坐在椅子上望向賽車道。她的丈夫才剛身亡但她在那個當下還不知道。鮑比和我去過他們在日內瓦的房子。客廳牆面上掛著一台車頭朝下的二級方程式賽車。她是一位非常美麗的模特兒。來自一個富有的芬蘭家庭。他們深愛彼此，她和約亨真的彼此相愛，我非常嫉妒。我真是蠢。我當時還不知道我們會成為意義最深遠的那種姊妹。

你說你在面對跟鮑比有關的事時很無恥。多無恥？

你準備好面對多淫亂的答案？

不知道。我不知道能有多淫亂。

我跟他說了一個我做過的夢。

一個夢。

對。

發生親密行為的夢。

對。

他的反應是什麼？

大概就是你能料到的那種反應。

他很驚恐。

理由很正當。我想。

那個夢算是很情色吧。

相當情色。

你常做這種跟你哥有關的夢嗎？

沒有。大多時候是夢到我們在一起。我是指住在一起。我夢到我們結婚了。不過現在不太夢到了。不太夢到了。你聽了會覺得很傷心嗎？我想不會吧。

我不確定我有什麼感覺。

夢中的我們在樹林裡的一間小屋內。或許就跟我父親之間住的那間小屋有點像只是他的那間位於能夠俯瞰湖泊的地點。我想我夢到的地點大概是在威斯康辛這裡吧。夢裡的時間是秋天壁爐內有生火外頭地上或許已經有積雪。我不太確定。那是一座巨大的石造壁爐你可以看見臥房內有爐火的光影明滅此外到處都有蠟燭。

這是什麼時候的事？

兩年前。你到底有沒有要聽我說？

有。

到處都有蠟燭我們全身赤裸他從我的雙腿間抬頭望向我微笑燭光中的那張臉因為我的汁水而發亮然後我就醒來了。我的高潮讓我醒來。

你跟你哥說了這些？

對。

他怎麼說？

他說。他說你不能跟我說這種話。你不准再跟我說這種話。

然後呢？

然後什麼？

你怎麼說？

我說我不會了。之後也確實沒有。

你有什麼感覺？

對這個夢嗎？

對。

遺憾。

你後悔告訴他了？

不是。我很遺憾那只是個夢。就這樣。我累了。

好吧。我週四還會見到你嗎？

不知道。會吧。我想你會見到我。

七

最近好嗎？

還可以。

之前**沒**見過那件毛衣。

是借來的。

你**沒**有大衣，是嗎？

反正我也沒有要出門。

我可以帶一件給你。

好。不如帶一對防水橡膠套鞋給我？

有何不可。你的頭髮怎麼了？

萊納德削掉了一些。

他是用什麼剪的？

真有那麼糟嗎？

我只是好奇他從哪裡弄到剪刀。

不告訴你。

好吧。我重聽了我們上次的會談內容。

如何？

我突然意識到當病患願意透露出一些私密細節時——就算治療師可能以為自己爭取到了更多的信任，但也可能完全不是這麼一回事。

所以可能是怎麼一回事？在你看來。

或許是因為她害怕治療可能快要揭露出其他更切身的私密細節。不過我承認你可能會覺得難以相信。

我會跟你說一些不想讓你知道的事以為了隱藏某些我真的很不想讓你知道的事。

大概是那樣。

在我聽來就是心理醫生會說的鬼話。

就是說啊。其實我好像說過一模一樣的話。

總之，發現你的病患懷抱這種狡猾算計後，你覺得她可能在掩藏什麼樣恐怖的事？

我不知道。你怎麼說？

《飛車黨》電影裡的馬龍．白蘭度[109]。

什麼？

那是他在裡面的台詞。總之，我為什麼要告訴你？我這番操作的重點不就是要隱瞞嗎？

你還會想像你和哥哥的親密關係嗎？

我哥死了。

我很遺憾。這是你離開IHES的原因嗎？嗯。是吧。當然。我想。我猜我想問的是你有沒有想回去。

沒有。

你是在哪裡學德文？

德國。

你的德文完全沒有口音。

你怎麼知道？

至少在我聽來是如此。我奶奶說德文。德文和意第緒語。

有個德國司機對我很有興趣。

你有和他搞上嗎？

---

109 馬龍・白蘭度（Marlon Brando, Jr., 1924-2004）曾演出一九五三年上演的電影《飛車黨》（*The Wild One*）。

沒有。可是鮑比不知道沒有。我跟他說不干他的事。我只是想讓他看清自己有多假。

他嫉妒了。

那還用說。

你喜歡德國嗎？

喜歡。我很驚訝。我想相對於其他語言我學德文學得特別賣力。我有大概十本依顏色編碼的筆記本。冠詞真的很難搞。德國是個很講究禮儀的社會。我用一本社交禮儀指南進行了詳盡的紀錄。

你的朋友那時已經離開了。我說的正確嗎？

對。

可是那不是你決定放棄數學的原因。

不是。我反正都會放棄的。

你想念數學嗎？

這就好像想念死去的人一樣。他們不會回來了。過往的許多根本問題還是持續來到我的夢中糾纏。有時我會想念那個計算世界本身。那個解決問題的過程。在幾天的辛勞過後問題突然明朗起來就像一隻走失的動物從雨裡走向你。你會在腦中說啊你在這裡呢。你會說我好擔心。你甚至懶得重新回顧你的勞動過程。因為你心裡很清楚了。眼前的答案就是正確的。多愉快的一件事啊。

你有割傷自己過嗎？

我有割傷自己過嗎？

對。

你還真是奪得花格子兔子[110]的贏家呢。你知道嗎？

不是。我是在說你的自殺幻想。我們談到哪裡了？

就算知道也不告訴你。

你對什麼有罪惡感？

我猜是說除了出生在這世上以外吧。

除了這個以外。對。

我想我得說首先我懷疑人們會因為罪惡感走上自殺一途。我們哪時候有那麼正直了？

跟小子道別的時候。

嗯。

---

110 這裡的「You really take the plaid rabbit.」是諧擬「You really take the biscuit/ cake.」的句構，後者指的是「你這人的行為真是糟糕的離譜。」

他想知道你會不會想念他的時候。

嗯。

你怎麼說？

我不知道說什麼。憂傷讓我窒息。我沒料到會發生這種事。

可是你沒有再見過他。

沒有。

我就不問你怎麼能如此確定了。幾年了？

八年。赫麥努。

赫麥努？

諾斯底主義的年份名稱。

你並不清楚他代表什麼。

他代表他自己。他是獨立的存在，不屬於我。我明白的只有這樣。無論你選擇如何理解這個說法都無妨。我從沒遇過一個不想殺掉他的諮商師。

到了最後你真的開始喜歡他了。

他是個又小又脆弱又勇敢的傢伙。一個靈體的心靈生活會是什麼模樣？他的思想與疑問真的源自他自己嗎？我的又是源自我自己嗎？他是我創造出來的生物嗎？我是他創造出來的嗎？我看見他是如何將就著把鰭當成手來用而且覺得被我看見很丟臉。我還看見他的表達方式，他無止境的踱步。這些都是我的傑作嗎？我沒有這種才華。我無法回答你的問題。這類所謂山精或惡魔無法被探究的傳統勢必跟語言的存在一樣古老。話說回來，或許朋友得是一個你能碰觸的人。不知道欸。我對現實已經不再有看法。以前有。但現在沒有。世界的第一守則是所有事物都會永遠消失。若是你走到拒絕接受這個事實的地步那你就是活在幻想中了。

你接受過ＩＣＰ[111]嗎？這裡沒有紀錄。

沒有。可是之後大概躲不掉了。我這張大嘴巴也會跟著遭殃。

我只是必須為你負責。其實你不會因此有什麼改變。但或許可以讓我更有機會密切觀察你的狀況。

我希望能至少有點隱私。光是想到你的照顧者會到處跟著你就受不了。他們會在洗澡的時候觀察你。而且你腳上什麼都不能穿。我敢保證我一定會不幸遇到壞脾氣護士小姐。

讓我考慮一下。

要是我重新開始吃藥呢。

你願意嗎？

111　這裡的ＩＣＰ指的可能是「加強照護計畫」（Intensive Care Program）。

不願意。

我們可以重新討論其中幾種藥。

你甚至還沒做出診斷就準備好要開藥了。

那你為什麼要提起這個話題？

我只是想看看你是不又要拿出藥物這個老套手段。鋰劑當然永遠是到最後才會出現因為無法申請專利。你無法透過那東西賺大錢。除此之外那些藥的名字本身倒是挺美的。德巴柯特、斯若奎爾。還有里斯必妥。天啊。到底是誰創造出這些鬼名字啊？

你相信這些都是製藥公司搞出來的陰謀。

不。真的沒有。我何必對你窮追不捨？夢境是如此脆弱。如果你可以透過藥物讓夢出現那沒有理由不能透過藥消除夢境。

這就是你被諮商師稱為難搞的一面嗎？

我想你倒可以問問他們到底對一個精神病患抱有什麼樣的期待。總之，到了最後我甚至不太算是個病患。但他們還是很難搞的醫生。

你為了混淆他們更認真地研究了文獻資料。

我什麼都沒研究。有什麼好研究的？如果他們有可能被自己學習的教條搞糊塗那他們不是早就已經糊塗了嗎？

你曾提到從可怕的夢境中醒來。你有見過任何真正令你困擾的東西嗎？

我沒見過怪物。也沒見過那種拿著自己的頭到處跑的生物。我總隱約覺得最糟糕的怪物是超越任何表象的。你無法拼湊出任何接近那些怪物長相的東西。因為你**沒**有所需的零件。

這是一個始終存在的怪物嗎？

不是。有時一切會直接消失。到現在都還是。有時我會在冬季的夜色中醒來而所有暗示恐懼的事物會在夜晚遭到席捲丟失於是我只是躺在床上感受風雪不停吹打窗戶。我想或許應該打開燈但最後只是躺著聆聽一片靜默。靜默中的風聲。現在有時我看著那些病患身穿沾滿排泄物的睡衣面對牆壁躺在走廊的推床上時我會問自己身而為人是什麼意思。這個定義也把我包括在內嗎？

你想被包括在內嗎？

我不想被包括在內。我就是**不**願付入場費。心情比較好的時候我甚至可以承認我們是同一種生物。真的大部分相同只有一點不一樣。還擁有同樣不可思議的型態。比如手肘。頭骨。靈魂的殘跡。

聽到你的這種心情讓我很驚訝。

動物似乎**沒**有精神疾病。你覺得是為什麼？

我**不**知道。可是我想你對此有一些看法。

你為什麼會這樣想？

因為你提起了這個問題。你的作法跟律師一樣。

是說不提出你不知道答案的問題這部分吧。

對。總之，得了狂犬病的狗要怎麼說？

狂犬病不是精神疾病。那是一種大腦疾病。

很有趣的區別方式。好吧，為什麼？難道是因為動物不夠聰明嗎？

我不認為是這樣。鯨類生物都挺聰明的而且似乎不會受到任何瘋狂的問題影響。我想你得先擁有語言才能獲得瘋狂。

我猜是這樣才能聽見腦子裡有其他人在說話。

我不確定為什麼。可是你得理解語言的到臨是怎麼一回事。大腦曾在好幾百萬年間就算沒有語言也運作得很好。語言的出現就像一個寄生系統的入侵。進而奪取大腦中最沒有專門化使用的區域。也就是最容易遭挪用的區域。

一個寄生系統。

對。

你是認真的。

對。生命體系中的內在指引就跟氧氣和氫氣一樣是必要的存在。任何系統的統理機制都是跟著系統本身同步演化的結果。從眨眼到咳嗽到逃命等決定都是如此。所有除了語言之外的機能都擁有同樣歷史。語言唯一遵循的演化規則是那些對其建構有其必要的規則。這個過程只用了差不多一眨眼的時間。語言的非凡使用性讓其一夜之間如同瘟疫蔓延開來。幾乎可說是瞬間就擴散到人類存在的每一個偏遠角落。那些導致他們發展出特殊性的隔離條件似乎完全無從抵禦這次的入侵而無論是語言形式還是語言在大腦中立足的策略似乎也都完全一樣。其中人們一開始就要符合的需求就是要提升發出不同聲音的能力。語言似乎是源自南非而科伊桑語[112]中的彈舌音可能就是要回應這個需求。畢竟世間需要被命名的事物多於可用來命名的聲音。無論如何製造出語言的生理機制大概是過程中造就最大困難的障礙。於是咽頭不停延長直到這個器官呈現出的型態像是要把它的主人勒死一樣。我們是哺乳類動物中唯一無法同時吞嚥和清晰發音的生物。你可以想像一隻貓一邊低吼一邊吃飯然後自己也嘗試看看。總之，無意識的指引系統已經存在好幾百萬年，但語言的系統存在還沒超過十萬年。大腦完全沒有預期這種事會發生。無意識勢必是手忙腳亂地想盡辦法去配合這樣一個事後證明為徹底冷酷無情的一個系統。語言不只是可以被類比成一個寄生系統，而是沒有其他比喻更適合了。

這幾乎可說是一場學術演講。

112 科伊桑語（Khoisan languages）泛指南部非洲不講班圖語（Bantu languages）的原住民所講的幾種語言。

有趣的是語言演化並非源自任何已知需求。純粹就是個概念。就像李森科[113]的鬼東西死而復生一樣。而這個概念，再次強調，就是一個東西可以代表另一個東西。於是原本的生物體系成功遭受到人類理性的猛烈攻擊。

我不確定有聽過演化生物學用這種戰爭語言來討論。我們的無意識之所以不喜歡跟我們說話是因為有數百萬年缺乏語言存在的歷史嗎？

對。無意識可以解決問題而且完全有能力告訴我們答案。可是數百萬年養成的習慣很難改變。無意識大可輕鬆說出：凱庫勒[114]，那天殺的是環狀結構。但無意識更寧願拼湊出一條頭尾連結成圈的蛇然後等凱庫勒在火堆前打瞌睡時鑽進他腦中滾動那條圈圈蛇。這就是為什麼我們的夢中總是充滿各種戲劇化的元素及隱喻。

我不知道頭尾連結成圈的蛇指的是什麼。

這裡指的是苯分子的結構組成。其實不重要。

這些話令人不安。但我想你暗示的是語言的到臨，如果不談隨之帶來的巨大價值，語言其實具有毀滅性。

很強的毀滅性。與其帶來的價值不相上下。是一種創造性的毀滅。各式各樣的才能及技術勢必因此失傳。大部分跟溝通有關。但也有像是導航這類能力或甚至可能是夢境的豐富性。到了最後這個奇怪的新密碼勢必透過可說出來的話語至少取代掉一部分的世界。於是意見取代了現實。

評論取代了敘事。

清醒的神智取代了瘋狂，**別**忘記。

好。我不會的。

以及開始遍地發生戰爭。

就這麼開始了。

我們怎麼談到這個話題的？

沒關係。我們可以放棄這個話題。

還有呢？

什麼還有呢？

共感覺這個現象存在多久了？其中有語言學可以解釋的部分嗎？

就我所知沒有。這件事涉及到的一切感覺都挺原始的。顏色、口味、氣味。不過我不確定把不同感官合併在一起算是個好主意。就**生存層面**而言。

自閉症嗎？更精確地說是學者症候群那種。

---

113 特羅菲姆・鄧尼索維奇・李森科（Trofim Denisovich Lysenko, 1898-1976），蘇聯生物學家，被指控為一名為科學家。

114 奧古斯特・凱庫勒（August Kekule, 1829-1896），德國有機化學家。

這就跟語言學脫不了關係了。

脫不了關係。

共感覺可能也是我們的一部分。現在我回想起來是這麼覺得。一個把阿拉伯數字五看成紅色的共感覺者很可能也會把羅馬數字的五看成紅色。這代表被他們看成紅色的是一個概念而非那個實體數字。你怎樣想？

這就是你不會想讓其他孩子知道的事。

還有其他很多事。而且還不少呢，其實。那能幫助你記憶。

什麼能幫助你記憶。

共感覺。記住兩件事比記住一件事簡單。這就是為什麼記住歌詞比記住詩詞容易。舉例來說啦。音樂可以是你用來組裝文字的骨架。

還有呢？

還有太多了。

其他孩子覺得你很怪。

那可不只是我的推斷而已。

你同意他們的看法。

站在他們的立場我能理解。

他們其中有誰擅長數學嗎？

沒有。

就連一丁點也沒有？

完全沒有。

鮑比呢？

我想你問過這個問題了。他的數學很好。只是還不夠好。他後來把主修改成物理學。我**沒**說我認為他該這麼做。他就直接這麼做了。他擅長在腦中處理數字。而且比我還厲害。有些人認為那就是數學。可以問你件事嗎？

當然。

我有味道嗎？

為什麼問？你最近沒有好好打理自己嗎？

這麼糟啊？

你**沒**辦法在有人觀察的情況下沖澡嗎？

我有沖澡。

這在病房裡很常見。人們常會忘記好好打理衛生之類的事。

還有什麼其他衛生之類的事？

不知道欸。有人批評你的外表嗎？

據我所知沒有。我知道有時我看起來像是匆忙離開住處的模樣。我以前很享受為了去跳舞而精心打扮。可是那只是穿給別人看的服裝。

都是虛幻。

對。

你會為了鮑比打扮。

我想是吧。沒錯。

我很抱歉。

沒關係。有時我會發現他看著我然後我會離開房間哭泣。我知道我永遠不會再被那樣愛著了。我以為我們會一直在一起。我知道你認為我該把這件事看得更違背常理才對，但我的人生跟你不同。無論是我的每分每秒。還是我的每個日子。我以前會夢到我們第一次結合的時刻。現在也還會。我想受到敬拜。我想讓自己像主教堂一樣被進入。

我知道。

你已經對榮格表達了一些不屑的態度但我想我們還沒怎麼談到佛洛伊德。

我們曾經榮格而且很容易被佛洛伊德[115]。

這是什麼意思？

沒什麼。喬伊斯小說裡的一句話。我想那些病例史是有趣的。當然總有些東西是為了賣錢而存在。解夢書在不至於是虛構小說的方面還算好的。我認為他對我們的心靈生活抱持的觀點搖擺不定。甚至可能比榮格**還嚴重**。事情其實沒那麼複雜。如果他們多思考一些生物演化相關的議題少花點時間捏造一些瘋癲理論或許還可能發現一些簡單的真理。

你不同意他們的理論再怎麼說都還是基於實際的觀察結果嗎？

就跟占星學一樣。

你不是認真的吧。

或許不是。至少佛洛伊德沒有嘗試去解釋夢的本質。

而那是件好事。

對。因為他一**無**所知。為不存在的各種分類創造出一種語言對那些妄想留下某種知識遺產的人而言並不是特別好的策略。一定有某種比喻可以用來形容這種事業。某些理論骸骨在荒原中逐漸慘白的意象。

數學不會面臨這種風化。

---

115 「我們曾經榮格而且很容易被佛洛伊德」的原文是「We were jung and easily freudened」，讀音像是「We were young and easily frauded」，後者的意思是「我們當時年輕好騙」。

不會。數學一旦消失就是完全消失。

就算是這樣⋯⋯。

就算是這樣。而且還是這樣。人生很難。我永遠都會愛著數學但我是個鐵石心腸的懷疑論者而我的懷疑或許沒辦法透過邏輯探問來處理。面對不能言說的部分啊[116]。

有任何見解足以支撐大多數現代數學的基礎嗎？

哇這問題還真棒。

抱歉。

不用抱歉。那不是個爛問題。只是我們不知道答案。像是餘調當中的各種深奧之處或是康托爾的不連續統都有沾染上玄學世界的況味。我們可以看見其中整個定義域都對交換律定義免疫的代數留下的足跡。矩陣的線條在它們起源的取底地面投下陰影並留下一個它們再也無法重合的印記。同調代數已經形塑了很大一部分的現代數學。但最終計算的世界會將其吸納進來。

我想哥德爾的工作永遠不會像佛洛伊德的命運那麼慘。佛洛伊德的研究最後根本像是散落地面的慘白骸骨。

我對柏拉圖主義者的埋怨已經是過去的事了。就算假設人們最終可以忽視數學真理的超越性本質，這麼做又有什麼好處。我們找不到其他讓所有人不得不達成共識的東西了，而當最後一隻眼睛中的光芒黯淡消失導致所有推想被永遠帶走之際我想甚至有可能是這些真理在最後的光線中短暫閃爍光芒。我是指在黑暗和寒冷吞噬掉一切之前。

你想休息一下嗎？

大概想吧。如果你也想的話。

來根菸嗎？

不用。我沒關係。

還沒被理解透徹，是吧？我說數學的本質。

沒有。

之後有機會嗎？

沒有。

你的朋友哥德爾是個強硬的柏拉圖主義者。

對。他認為數學物元跟樹木和石頭一樣真實。

那似乎是個古怪的看法。

確實是個古怪的看法。我想其他數學家幾乎都會用表面意義理解哥德爾的觀點，可是那些觀點可以反映出一種跟現實本身有關的懷疑主義。至於我自己我從未見過一個「六」。我不知道是

116 這裡指的是之前提到的維根斯坦引言：「凡不能言說，須保持沉默。」

什麼可能組成一個數學物元。根據我的經驗數學的一切都是以指令的形式存在。「六」的數字概念完全是惰性的。哥德爾並**非**一直都是柏拉圖主義者，但他不是第一個只因為某個難以置信的理論足以解釋特定事實而決定接受這個理論的科學家。在一九三一年的論文之後對他來說很清楚的事實是我們有辦法提出一台「普遍真相機器」無法提出的數學見解。可是我**沒**辦法告訴你為什麼哥德爾看不出把數學抽象性當作真實存在實體這個概念中的問題。柏拉圖主義者似乎或多或少選擇對數學的起源保持沉默且極度不在意若存在一個杳無人跡的宇宙中那其中的計算行為可能還有什麼目的存在。我認為普遍來說數學家擁有的**詭異思想**比人們一般推想的還要常見很多。最終哥德爾變得相當親近自然神論者的思想。倒不是他在追求任何種類的靈性實踐。那是從畢達哥拉斯流傳到牛頓再到康托爾的傳統。畢竟康托爾把超限數的起源歸因為超自然力量。阿列夫零。阿列夫一。但這些對他追求的目標**無**法有幫助。他那些有關相對無限的觀念甚至必須等到德國一整代數學家死去後才有辦法獲得一丁點重視。宇宙有智慧嗎？這難道**不**是最關鍵的問題嗎？我哥哥以前會說不太有。或許頂多足以面對當前狀況吧。哥德爾從未直接點明存在一個所有科學家都同意簽署的盟約可是你很清楚意識到很多人這麼希望。我很清楚這種吸引力。就像擁有一張能讓大家永遠履約的閃閃發亮羊皮紙。可是若要宣稱數字不知怎地存在宇宙中而其中不存在任何使它們得以存在的智慧那需要的不是一種不同的數學。而是一種不同的宇宙。

有這種宇宙嗎？

哥德爾提出一些只能說詭異的概念。時間的循環在數學概念上可行但永遠無法解決無法讓你與死去爺爺見面的問題。還有他看待神的概念。我就是直接把這個概念跟他的柏拉圖主義歸在同一個分類中。可是那個概念不安於此。慢慢地我逐漸意識到我們在討論的可是哥德爾啊他確實可能對各種事物抱持傻氣的想法但面對數學時他真有可能那麼傻氣嗎？

那你的結論是什麼？

我還在想。

目前比較相信哪種可能性？

我回頭重讀了一九三一年的那些論文兩次。上次重讀時我還夢到那些論文。我夢到的是第二篇論文。我因此醒了過來夢境也在我醒來之際開始消解。包括那個夢還有夢中的故事。我知道在夢中出現的是一種理解那是一份純粹的禮物然而卻消融入黑暗我在床上坐起身對著那份遠去的理解大喊但它卻只是在我腦中碎成一片片而在那之後我以非常不同的方式理解了那份論文中的洞見但我不確定那個夢境究竟對我之後的理解是否有貢獻而且我懷疑自己永遠不會知道。

夢中有數字嗎？

果然會有這個問題，不是嗎？不夢裡沒有。那個夢境完全是由理解所組成。

我不確定我明白你的意思。但總之一切都回不去了。

都回不去了。

你對事物的看法改變了。

對。我開始懷疑起我以前對宇宙抱持的物質觀點。

這是一個緩慢改變的過程嗎？

我不知道。我不知道緩慢是什麼。哥德爾曾提起幾個有過昇華性體驗的數學家。我猜我該查查那些人是誰。他從未有過這種體驗。我想他可能是嫉妒吧。我想那個夢境還在。那個夢境很清楚該不該再來拜訪我。又或是我該不該去拜訪它。哥德爾喜歡抱怨人們不理解他有關不定性的理論。我重讀過後發現他可能是對的。我還沒讀懂那些論文。

你現在理解了嗎？

定義一下什麼算是理解。

好吧。推進話題。你認為數學是由無意識在進行運算。

對。我不懂任何數學。我只是努力在數學出現時嘗試寫下來。

我想這種說法勢必是有點誇大吧。

或許吧。是有點。為什麼你會對這件事有興趣？

因為你有興趣啊。那個夢是多久前的事？

前天晚上。

不可能一定不是。

六個月前。可能是七個月吧。

如果那個夢……那個說法是什麼？再來拜訪你？如果你可以記住那個夢你會告訴我嗎？

我不知道。得先看看內容如何。要是很猥褻呢？

猥褻的數學。

當然。有何不可。

所以你理解的是什麼？

關於哥德爾的部分嗎？

嗯對關於他的部分。

我想我看見了他所看見的。也就是發現一個系統擁有極限的意義不只是發現極限。而是發現極限之外還有什麼。你只是得先找到極限。

而在極限之外有什麼？

就這個案例而言是意識到你長期以來抱持的懷疑其實是真的。也就是數學沒有極限可言。數學無窮無盡。這件事不再是個疑問。而現在你得坐下來好好思考宇宙的事。

你怎麼想？關於宇宙？

你以為你的探究會因為經驗數據愈來愈難取得而變得艱難。甚至宇宙會在你努力的過程中不停後縮。

所以你會用什麼來進行這項探究？

我想是你唯一擁有的工具。你的心智。

那為什麼你覺得你的心智可以應付這個任務？

因為我們在這裡。我們不在別的地方。而且沒有其他需要知道的事。哥德爾的一些想法已經不只是可議而已。我思考過他的柏拉圖主義可是然後我又想那和弗雷格沒那麼不同。要再讀一遍嗎？不會有太大幫助。我想或許很有可能就是那種為他們思想奠定基礎的同樣大膽態度創造出了那些其他難以跟胡言亂語區隔開來的各種探問。我有陣子把這些都放到一邊。可是這一切卻不願意乖乖待在遠處。我愈來愈不同意亞里斯多德的看法。他感覺愈來愈像那種相信白板理論[117]的傢伙。我很清楚不是那樣並不是我們出生時還不算人類。我理解他認定心智有一種形式但他似乎不理解那是什麼意思。心智必須擁有自己存在的能力。

我不明白這是什麼意思。

我知道。我只是不知道要怎麼用其他方法來解釋。我理解如果你任由自己徹底陷入這個泥沼後很可能再也爬不出來。更糟的是，你可能會不想爬出來。

對。

履約。是用這個詞吧？

其實用守約即可。但守約是個普遍說法而履約比較適用在特定情境。關於數學家之間是否能達成一致看法並共同遵守一個約定我們沒有答案。我的新朋友千原——或許是哥德爾的支持者但絕不欣賞他的各種直覺性看法——表示數學家一旦被視為生物有機體那基本上是非常類似的。

這就是他用來解釋他們對數學意見一致的方法嗎？透過表示他們其實都很像？

我想大部分數學家會錯過這個說法中的幽默元素。而且這實在不太能解釋我們幾乎對其他所有事意見分歧的現象。我也猜想你可以說數學直覺只能解釋人們接觸數學的方式而非數學的存在。

那你要怎麼解釋數學的存在？

或許能做的頂多就是指出它的存在。追隨維根斯坦的觀點。構成數學主體的是問題，而非答案。而答案早已預設在問題之內。

這是真的嗎？

我不知道什麼是真的。但或許這能解釋所謂發現的意義。

我們一直繞著數學裡同義反覆這個概念在打轉嗎？

這說法挺好的。繞著同義反覆打轉。

117 英國哲學家約翰・洛克（John Locke, 1632-1704）認為人的心靈是一塊白板（blank slate），所有的知識都是透過感官及經驗累積而來。

但你還是很崇拜哥德爾。

非常崇拜。

那你的新朋友呢?

千原。

對。他也很崇拜哥德爾嗎?

我想是的。我想太年輕獲得成功帶來了意料之外的負擔。其中最嚴重的問題是恐懼。千原應該很清楚這件事。

恐懼?恐懼什麼?

恐懼犯錯。最近有人問狄拉克他為什麼不直接出來宣布隱藏在他計算中的粒子就是正電子而你覺得他說了什麼?

我不知道。

純粹就是因為懦弱。

還有呢?

跟哥德爾有關嗎?

對。他似乎占據了很大篇幅。

一九三一年那些論文背後的動力是哥德爾閱讀了羅素和懷海德[118]的《數學原理》[119]。羅素相信哥德爾是唯一完整讀完的人並對哥德爾的理解程度感到讚嘆。當然這部作品始終沒有完成。羅素看見了其中的問題於是懇求懷海德不要發表。他們之後就沒什麼來往了。羅素不停試圖把懷海德的年輕太太搞上床更對緩解他們的緊繃關係毫無幫助。羅素當時的社交圈很小他甚至說如果不能搞朋友的太太那還能搞誰？

他**沒**這樣說吧。

沒有。或至少就我所知沒有。我認為對他來說那更像是個不言自明的行事原則。懷海德嘗試獨自完成《數學原理》第四部但最後被迫放棄。我認為那些年和羅素合作的經驗讓他錯估了這個計畫的難度。

羅素是個真的很棒的數學家。

對。

但他放棄了。我是指數學。

對。

因為維根斯坦？

---

118 阿佛列・諾思・懷海德（Alfred North Whitehead, 1861-1947），英國數學家兼哲學家。

119 《數學原理》（*The Principia Mathematica*）是於一九〇三年推出的著作。

大部分人——包括羅素——都說是因為維根斯坦。可是真正的原因是羅素想出名。而且他知道數學不可能讓他達成目標。而且當然他也沒想錯。他後來也確實有成名。他在全世界享有盛名而且身邊永遠有新的女人。她們可不全都是朋友的太太。

他後來有放棄哲學嗎？

本質上算是。他開始寫哲普書。我想他開始明白嘗試理解宇宙是傻子的工作。

宇宙中沒有光明也沒有黑暗。

沒有絕對沒有和平也沒有緩解痛苦的方法。

跟黑暗荒原有關[120]。

對。

為什麼大家對科學不那麼有興趣？

他們害怕科學。就連受過教育的人都更熱愛瘋狂的事物。外星人啊、維里科夫斯基[121]的那些鬼話啊。飛碟啊。

瘋狂的事物。

對。

嗯。熱愛到連哥德爾都不管了？

哥德爾是永遠的。

你相信那些東西？

不相信。

好吧。你會雜耍抛接嗎？

哇，你成功了。

我成功了什麼？

你終於讓我驚訝了。我會雜耍抛接嗎？

對啊。

會。會最基本的。能抛三顆網球。為什麼問？

我只是覺得那像是你會嘗試的事。你還會什麼？

不知道欸。像是什麼？

什麼都行。

我可以反著讀書。也可以用鏡子閱讀。話說那是誰？李奧納多嗎？我可以在一張紙上寫字的

120 「沒有絕對沒有和平也沒有緩解痛苦的方法」這一個句子出自馬修・阿諾德（Matthew Arnold）的著名詩作《多佛爾海灘》（*Dover Beach*），後面一句是「我們在此這片黑暗荒原上（And we are here as on a darkling plain）。」

121 伊曼紐爾・維里科夫斯基（Immanuel Velikovsky, 1895-1979）是俄裔美國精神分析專家，也是推廣偽科學的典型人物之一。

同時維持邊距平整。但內容不見得能對得很齊。我不認為李奧納多可以做到這點。就算他有打字機也一樣。

我不明白。

如果打字的話我可以讓每行字都和前一行字一樣長。就像印刷出來的一樣。

我不明白你怎麼能做到這點。我不認為有人能做到這件事。

只需要為了讓每行字最後等長進行必要的字詞改動就行了。

在打字的過程中。

在打字的過程中。對。

你不需要停下來想替代的字。

不用。就是直接換了。

我也只能相信你了。

就是個小把戲而已。我不會刻意去嘗試。破解這個把戲幾乎就跟學會這個把戲一樣難。

你還是沒有生理期。

天啊。

天啊？

你們這些傢伙老是搞這齣。我想我的檔案裡有紀錄吧。

在你的病歷裡面有，沒錯。

一群八卦鬼。

你會使用很多英國說法。你有在英格蘭住過嗎？

沒有。

你很常運動嗎？

以前很愛散步。

你很瘦。

我知道。我不喜歡吃東西。

跟某個同事聊天時我們談到一個問題也就是過度的腦力勞動或許不會造成跟過度體力勞動類似的效果。

你是指經期方面。

對。

有意思。據說人也不會在比一萬四千英尺更高的地方有月經。

真的嗎？

我不知道。我是讀到有這種說法。我們還有十三分鐘。你覺得我們可以喝點茶嗎？

當然。等我一下。

——

英式早餐茶。

你這語氣似乎是沒有很喜歡。

沒關係。

我們現在只有奶精粉。

可以的。

你很常跟你的朋友萊納德見面嗎？

我們會聊天。他跟我說你有去調查他。

確實有。

有發現什麼嗎？

跟你有關的事吧我想。

我無所謂。我跟他聊天是因為他很有趣。而且他很機靈。他在吃納凡。

我不知道他吃什麼藥。

他是個納凡人。我們常因為同樣的事笑出來。雖然有時原因不一樣。

你覺得他是個穩定的人嗎？

以萊納德來說算穩定。

他為什麼會被送進來？我是問一開始的原因。

他把家裡的房子燒掉後跑了。他們在樹林裡發現他時他想不出可以說什麼所以開始胡說八道。

你不覺得他有任何毛病。

我認為他的毛病可多了。

他大概一年前逃院。我想應該消失了三天吧。

對。嗯。他明白如果想嘗試逃離瘋人院那就得表現得不瘋癲。不過顯然上週他讓一群人起了一些爭執。嗯。或許不算是爭執。

跟什麼有關？

他不停抱怨各種有的沒的直到他們終於找上他問他到底想要什麼。但這樣也阻止不了他然後他認真想了一下後終於說他只是想要快樂。就是因為這個答案他們又全找上他說不不不不，萊納德。找些務實的目標。

他有自殺傾向嗎？

萊納德嗎？

對。

當然。嗯。我不該說出來的。有時我忘記你屬於對方陣營。

對方陣營？

對。

好。我們講到哪裡了？

我想話題是我的每月來潮。關於它們去了哪裡。

你會想到跟性有關的事嗎？

會。你不會嗎？

欸。關於這主題我過去確實有些經驗。可是話說回來有時我會忘記我在說話的對象是個極度重視想像世界的人。話說羅馬尼亞的生活變得愈真實就愈缺乏吸引力了嗎？

我不知道。可能吧。畢竟想像很有可能才是最棒的。就像一幅描繪田園牧歌風景的畫作。那是你最想身處其中的地方。一個永遠到不了的地方。

我不確定我懂你的意思。

我也不確定。

這不像你會說的話。

我知道。

你在說的是死亡嗎？

不是。只是跟進入你最渴望的世界有關。

要來點熱水嗎？

不用。謝謝你。我在想有沒有可能那個是我？

你說在那幅畫中嗎？

對。

你是指怎麼可能是你？又或是你怎麼可能讓那個是你？

怎麼可能是我。姑且這麼說吧。

就像鏡子中的**斧殺者**[122]？

我也**不**知道。或許吧。或許像是個意義不明的手勢。但手勢表達的意義在延伸進入世界後抹消掉了一千種其他可能存在的歷史。

我已經聽不懂了。

沒關係。我離開義大利時有想過要去羅馬尼亞。但我沒去。我**不**想被埋葬在瓦爾特堡。最主要是我**不**想讓任何人知道。

122 這裡的原文是「axemurderer」，指的是「axe murderer」用斧頭謀殺他人的人，而在文學或電影作品中，這樣的謀殺者反映在鏡中的形象，往往有可能反映出他們內心黑暗的隱藏人格。

不想讓任何人知道你死了。

對。

但你**沒**有。

死。

不是。我是指去羅馬尼亞。

對。我**沒**去。

好吧。你對這個計畫有多認真？

挺認真的。我把那個計畫稱為2-A計畫。

為什麼叫2-A計畫？

就是叫這個名字。副標題是「或者不是2-B[123]」。

但對於實際出發這件事的心態不夠認真？

不夠認真。我以為我會去羅馬尼亞並會在抵達後跑去某座小鎮的市集裡賣二手衣。不管是鞋子啊。還是毯子。總之我會把我擁有的一切都燒掉。還有我的護照。或許還會直接把我的衣服當垃圾丟掉。在街上換錢。然後我會健行上山。遠離既有道路。絕不冒任何風險。我會步行跨越祖輩的土地。可能會在晚上。那裡的山上有熊和狼。我查過了。你可以在晚上升一小堆火。或許找個山洞吧。找條山中的小溪。我會帶水壺好讓我在虛弱到難以移動時可以用。過了一陣子後水的味道會變得無比美妙。嘗起來像音樂。我會在晚上用毯子把自己包起來抵禦寒冷看著皮膚底下的骨頭浮出形狀然後我會祈求自己能在死前看見世界的真相。有時晚上會有動物來到火堆邊緣逡巡牠們的影子在樹林間移動然後我會明白等最後的餘火化為灰燼時牠們會過來把我帶走而我會成為牠們的聖餐。那就是我的人生。我會感到快樂。

我想我們的時間到了。

我知道。

握住我的手。

握住你的手？

對。我想要你這麼做。

好吧。為什麼？

因為這是人們在等待一切終結時會做的事。

123 這裡的副標題「或者不是2-B」的原文是「or not 2-B」，諧擬的是《哈姆雷特》經典台詞「to be or not to be, that is the question」，朱生豪的譯文為「生存還是毀滅，這是一個值得考慮的問題」。

戈馬克．麥卡錫年表

一九三三年　七月二十日出生於美國羅德島州普洛維登斯。本名查爾斯．麥卡錫（Charles McCarthy）。

一九三七年　隨家人遷居至美國田納西州諾克斯維爾。在此地就讀諾克斯維爾天主教中學，並於當地的聖母無原罪主教堂擔任祭壇助手。

一九五一年　進入田納西大學就讀，一度中斷學業，直到一九五九年離開學校為止，始終未完成學業。

一九五三年　離開大學加入美國空軍，四年後退伍，重返校園。

一九五九年　大學期間於文學雜誌發表短篇小說《叫醒蘇珊》（*Wake for Susan*）、《溺水事件》（*A Drowning Incident*），寫作成績獲英格朗梅里爾基金會（Ingram Merrill Foundation）授獎肯定。

一九六〇年　決心以寫作為志業，以愛爾蘭中世紀兩位君主Cormac mac Airt、Cormac mac Cuilennáin之名，為自己取筆名。

一九六一年　與第一任妻子李．霍曼（Lee Holleman）結婚，兩人於次年離異，長子柯倫．麥卡錫（Cullen McCarthy）誕生。

一九六五年　出版首部小說《果園守護者》（*The Orchard Keeper*），翌年獲威廉福克納基金會獎。

一九六六年　獲洛克斐勒基金會贊助，旅居歐洲，創作小說《境外之黑》（*Outer Dark*）。

一九六七年　與第二任妻子安妮．迪萊爾（Annie DeLisle）結婚。

一九六八年　出版《境外之黑》。

一九六九年　獲古根漢基金會藝術獎助金。遷居至田納西州路易斯威爾，創作小說《上帝之子》（*Child of God*）。

一九七三年　出版《上帝之子》。

一九七六年　與迪萊爾分居，遷至德克薩斯州艾爾帕索。

一九七九年　出版寫了二十年之久的半自傳體小說《沙崔》（*Suttree*）。

一九八一年　與迪萊爾離異。同年獲麥克阿瑟基金會獎助金。

一九八五年　出版小說《血色子午線》（*Blood Meridian*）。受到高度評價，獲《時代》雜誌列入一九二三年至二〇〇五年最好英語小說前一百名書單。

一九九二年　出版小說《所有漂亮的馬》（*All the Pretty Horses*），憑該作獲頒美國國家圖書獎、美國國家書評獎。二〇〇〇年由比利．鮑伯．松頓執導，改編為電影。

一九九四年　出版小說《穿越》（*The Crossing*）。入圍國際都柏林文學獎。

一九九六年　出版小說《平原之城》（*Cities of the Plain*），入圍國際都柏林文學獎。《平原之城》與《所有漂亮的馬》、《穿越》為「邊境三部曲」系列作。

一九九七年　與第三任妻子珍妮佛・溫克利（Jennifer Winkley）結婚，兩人定居於新墨西哥州。

一九九九年　次子約翰・法蘭西斯・麥卡錫（John Francis McCarthy）誕生。

二〇〇五年　出版小說《險路》。進入國際都柏林文學獎決選名單。二〇〇七年由柯恩兄弟執導，改編為電影《險路勿近》，於第八十屆奧斯卡金像獎拿下四項大獎。

二〇〇六年　出版小說《長路》，憑該作獲頒普立茲小說獎、詹姆斯泰特布萊克紀念小說獎、美國鵝毛筆獎，入圍國際都柏林文學獎。與溫克利離異。

二〇〇八年　獲頒美國筆會索爾貝婁獎。

二〇〇九年　《長路》由約翰・希爾寇特改編電影《末路浩劫》。

二〇一二年　詹姆斯泰特布萊克紀念小說獎評選歷年最佳小說獎，《長路》進入決選名單。

二〇一四年　於全球最大科技智庫之一聖塔菲智庫中心（Santa Fe Institute）擔任終身研究員。

二〇一七年　於《鸚鵡螺》發表分析潛意識與語言系統的哲學散文《凱庫勒問題》（*The Kekulé Problem*）。

二〇二二年　《乘客》、《海星聖母》相隔六週問世。

二〇二三年　逝世於聖塔菲智庫中心，享壽八十九歲。

Litterateur 15

海星聖母

Stella Maris

•原著書名：Stella Maris•作者：戈馬克．麥卡錫（Cormac McCarthy）•翻譯：葉佳怡•封面設計：王瓊瑤•排版：李秀菊•責任編輯：徐凡•國際版權：吳玲緯、楊靜•行銷：闕志勳、吳宇軒、余一霞•業務：李再星、李振東、陳美燕•總編輯：巫維珍•編輯總監：劉麗真•事業群總經理：謝至平•發行人：何飛鵬•出版社：麥田出版／城邦文化事業股份有限公司／115台北市南港區昆陽街16號4樓／電話：(02) 25007696／傳真：(02) 25001966、發行：英屬蓋曼群島商家庭傳媒股份有限公司城邦分公司／115台北市南港區昆陽街16號8樓／書虫客戶服務專線：(02) 25007718；25007719／24小時傳真服務：(02) 25001990；25001991／讀者服務信箱：service@readingclub.com.tw／劃撥帳號：19863813／戶名：書虫股份有限公司•香港發行所：城邦（香港）出版集團有限公司／香港灣仔駱克道193號東超商業中心1樓／電話：(852) 25086231／傳真：(852) 25789337•馬新發行所／城邦（馬新）出版集團【Cite(M) Sdn. Bhd.】／41-3, Jalan Radin Anum, Bandar Baru Sri Petaling, 57000 Kuala Lumpur, Malaysia.／電話：+603-9056-3833／傳真：+603-9057-6622／讀者服務信箱：services@cite.my•印刷：前進彩藝有限公司•2024年12月初版一刷•定價480元

國家圖書館出版品預行編目資料

海星聖母／戈馬克．麥卡錫（Cormac McCarthy）著；葉佳怡譯. -- 初版. -- 臺北市：麥田出版：家庭傳媒城邦分公司發行, 2024.12

面；　公分. -- (litterateur；RE7015)

譯自：Stella Maris

ISBN 978-626-310-771-7（平裝）

EISBN 9786263107625（EPUB）

874.57　　113014726

城邦讀書花園

www.cite.com.tw